BRATISLAVA

François Nourissier est né en 1927 à Paris d'une famille lorraine et flamande. Après ses études, divers métiers et quelques longs voyages, il « entra dans le papier » en 1952, un an après son premier roman. Il fut successivement secrétaire général d'une maison d'édition, conseiller d'une autre, rédacteur en chef de la revue « La Parisienne » et surtout journaliste : « Les Nouvelles littéraires », « Paris-Match », « Le Nouvel Observateur », « L'Express », « Le Figaro » et, depuis leur fondation, critique littéraire au « Point » et au « Figaro Magazine ». Certains de ses livres sont autobiographiques : Un Petit Bourgeois *(1964) et* Le Musée de l'homme *(1979). Il a publié à ce jour dix romans qui lui ont valu le Prix de la Guilde du Livre et le Grand Prix du roman de l'Académie française 1966* (Une Histoire française), *la Plume d'or du Figaro* (Le Maître de maison, *1968), le Femina* (La Crève, *1970) et, en 1975, le Prix de Monaco pour l'ensemble de son œuvre. François Nourissier a été élu à l'académie Goncourt en 1977. En 1981, il publie* L'Empire des nuages, *en 1986* La Fête des pères, *en 1987* En avant, calme et droit *et, en 1990,* Autos Graphie *qui furent salués unanimement comme des chefs-d'œuvre.*

J'ai beau me moquer des écrivains qui prétendent avoir été « entraînés par leurs personnages », et autres sornettes, force m'est de reconnaître que certains récits doivent plus à la volonté, et d'autres, à la nécessité. Celui-ci, inclassable, m'a forcé la plume. J'ai essayé de le contourner ; de détourner son contenu vers d'autres textes ; d'en faire un roman, etc. Mais en fin de compte il m'a fallu l'écrire dans la forme qu'il avait prise, d'emblée, dans mes songes.

Brastislava évoque, sans suggérer de réponses, les questions que posent l'âge, le passage du temps, la mémoire, l'oubli. Tous les humains en train de vieillir ont ces sujets dans la tête et en connaissent le harcèlement. Certains, comme j'ai d'abord tenté de le faire, veulent en distraire leur attention ; d'autres les affrontent : c'est à eux que ce livre s'adresse.

Il existe en littérature des genres, des tons, des styles. *Bratislava*, dans l'esprit de l'auteur, appartient à la confidence plutôt qu'à la harangue, à la comédie plutôt qu'à la tragédie. Il n'est donc pas interdit de s'y amuser.

F. N.

Paru dans Le Livre de Poche :

UN PETIT BOURGEOIS.
LA CRÈVE.
LE MAÎTRE DE MAISON.
ALLEMANDE.
UNE HISTOIRE FRANÇAISE.
L'EMPIRE DES NUAGES.
BLEU COMME LA NUIT.
LA FÊTE DES PÈRES.
EN AVANT, CALME ET DROIT.

FRANÇOIS NOURISSIER
de l'Académie Goncourt

Bratislava

GRASSET

pour Louis Rheims,
que tous nous aimions

« J'aurai connu longtemps
le plaisir de m'éteindre. »

JULES RENARD
Journal, 18 juin 1906.

LES BELLES GUEULES

L'ÂGE est supposé embellir l'homme, creuser le
trait (ainsi parlerait-on du travail littéraire), sculp-
ter, ombrer, donner de la gueule aux visages
incertains. Bonne affaire pour le laid que cette
chance de métamorphose. Du moins était-ce mon
illusion. L'expérience m'a déniaisé. J'ai bien vu
quelques têtes bureaucratiques, travaillées au burin
et à l'onglette par les fins de mois et la routine
conjugale, tourner sur le tard au masque émacié, à
la lividité monastique. On croise dans la rue, le
métro, de ces visages à couper le souffle, refermés
sur ce qui ressemble à une vertigineuse vie intérieure, façonnés par tous les tourments, dirait-on,
cuits à tous les fours de la vie, et qui appartien-
nent, selon toute vraisemblance, à des ombres, à
des encaisseurs du gaz, à personne. Inutiles exceptions. La règle veut que l'âge installe la laideur
partout, même là où la jeunesse sauvait quelque
grâce : peau, silhouette, gestes, etc. L'homme
s'abîme comme un vin vieillarde, c'est sa loi.

Au reste, si l'âge pouvait conférer une équivoque
et théâtrale beauté, elle serait inutile. Elle ne
saurait rendre aucun des services de la beauté, de
la jeunesse, qui sont de précieux attrape-nigauds.
Les vieux ne sont beaux que pour leur miroir.

LE POINT DE FUITE

Immortel? Va sans dire! Enracinée en moi, cette certitude s'est épanouie au long des années à la façon d'un arbre, mais qui ne produirait ni fruits, ni ombre. Cadets, amis, famille, il semble qu'on ne partage pas toujours ma conviction. Tout se passe comme si l'on avait oublié d'informer ceux qui m'entourent d'un privilège pourtant notable. A moins – je m'en suis avisé tard – que les incrédules ne jouissent eux aussi de cette prérogative d'immortalité que j'ignore qu'ils possèdent, qu'ils ignorent que je partage avec eux.

Comment un homme qui ne mourra jamais peut-il se préoccuper de son âge?

L'inconscient, hélas, possède ses freins et son bon sens. A chaque seconde ce sont des immortels qui meurent, d'où l'air étonné des cadavres quand la souffrance leur a épargné son rictus. « Quoi, moi?... » La mort, ça n'arrive qu'aux autres. Quiconque a vécu un de ces instants où basculent tous les ordres ordinaires – choc, chute, syncope – ne se souvient, ensuite, que de sa stupéfaction. Pourtant, même ces frivoles, ces bienheureux qu'anime la certitude d'être invulnérables, la peur est tapie en eux; ses certitudes obscures mangent la lumière dont ils paraissent habités. Seule une multiforme inattention nous permet de vivre, de traverser chaque jour, de nous enfoncer dans chaque nuit, mais elle est, au vrai, fissurée de partout. La pendule bat au fond de la maison. Les fanfares et les fanfaronnades de la vitalité sont assourdies, vidées comme par une fuite de néant, sous le murmure intarissable de l'âge. La vieillesse n'est pas une révélation, elle s'installe en reptations, en effritements, en amenuisements de toute sorte. Si elle paraît se dévoiler brusquement, c'est qu'on dormait. Je ne prétends pas que ce soit grande vertu, mais j'ai toujours essayé de résister à ce sommeil-là. J'ai même bu beaucoup de café dans cette intention. En avais-je besoin? Le destin s'était chargé de me rendre vigilant.

Parce que, enfant, j'ai vu mourir mon père à mes côtés dans des circonstances à la fois familières et dramatiques, la sensation s'est installée en moi de l'imminence et de la proximité toujours possibles de la mort. Je n'ai que trop écrit de tout cela et n'y reviendrai pas. Mais un boiteux, comment ne dirait-il pas le coup qui lui a brisé la jambe? Impossible de ne pas signaler, une fois de plus, l'origine de cette angoisse incrustée depuis toujours au cœur de mes entreprises. Exactement depuis mes huit ans : mon âge en 1935. Explication simple, et longtemps suffisante, d'une anxiété qui ne paraissait normale à personne – pas même à moi – quand j'étais un adolescent, un homme jeune.

Mais depuis un moment, déjà, plus aucune explication ne m'est nécessaire : de dix-neuf ans l'aîné de mon père, je navigue désormais dans des eaux où les naufrages se multiplient. Je sacrifie depuis deux ou trois ans, discrètement, au rite qui me faisait sourire quand j'en voyais les autres, les vieux, affligés, entre le beurre mou et les miettes du petit déjeuner : je ne lis pas seulement la notice nécrologique des journaux pour éviter de commettre des impolitesses, mais pour noter l'âge des chers défunts – les mâles surtout. L'espérance de vie des dames étant de onze ans supérieure à celle des messieurs, faire entrer le beau sexe dans mes calculs affadirait la statistique d'un optimisme mal fondé.

La rubrique des deuils me propose de bons et de mauvais morts. Les bons – presque trop bons – sont d'évidence les nonagénaires. Les plus profitables à ma soif d'apaisement sont les octogénaires du bout de la décennie. J'évoque aussitôt François Mauriac publiant un roman à quatre-vingt-quatre ans, Julien Green, à quatre-vingt-huit. Ces exemples extrêmes me donnent une envie de longévité que ne justifie guère ma paresse de plume. Mais force est chaque matin de le constater : de plus en plus de victimes de la longue-et-cruelle-maladie ou du « brutalement » (brutalement enlevé à l'affection des siens) sont mes cadets. Me font plus peur encore les aînés immédiats, dont le sort semble ne me promettre qu'un sursis dérisoire. Ce sont là des nuances. Une seule évidence compte : les morts ont désormais mon âge. Nul besoin d'évoquer mon père pour me rappeler cette vérité.

Rassurez-vous! la mort n'est pas mon sujet. Elle est seulement, point de fuite au fond d'une perspective, au bout de mon sujet, qui ne l'est devenu qu'à force de subtile, puis insistante, bientôt obsédante présence. Comme je lui ai résisté! J'ai écrit sur les jeunes filles et le couple au temps où j'honorais les dames; sur la paternité quand j'ai eu des enfants; sur la politique quand j'ai cru avoir des idées. Aujourd'hui que je suis sur l'âge, occupé à administrer le moins mal possible les surprises, les bienfaits et les méfaits du vieillissement, c'est au vieillissement qu'il me faut offrir la bataille et le service des mots. Je n'ai jamais tenté, roman ou non, que d'écrire au plus près de moi. Comment me déroberais-je à ce qui fut toute ma morale, aujourd'hui que mon sujet s'impose à moi avec tant d'éclatante et humiliante évidence ?

Ont fait la grimace, bien sûr, les quelques-uns devant qui j'évoquais le projet de ces notes. Mais l'expérience m'a montré que l'on essaye de détourner un écrivain de son projet toutes les fois qu'il en éprouve avec force le bien-fondé et l'urgence. On n'encourage les créateurs qu'à dégringoler leur pente. Il faut donc tenir ferme là-dessus...

... Sans se dissimuler, ne soyons pas stupide, que les mots à l'usage fréquent desquels va me condamner mon sujet sont de ceux qui rebroussent et repoussent. Il y a plus de vingt ans, écrivant un texte qu'illustrait Pierre Alechinsky, quand vint le moment de le titrer – jeu auquel excelle le peintre –, je ne trouvai nulle meilleure idée que de proposer pour titre à notre travail : *De la mort.* Alechinsky accepta d'enthousiasme. Cet enthousiasme m'étonne encore. Je ne crois pas qu'on ait jamais vendu plus de huit ou neuf exemplaires, sur les cent que comptait l'édition, de ce fastueux et suicidaire album. Je sais donc à quoi je m'expose. Décence et prudence devraient se conjuguer pour interdire pareille incongruité. Pourtant, le seul fait que ma plume vienne de tracer ce mot – incongruité – indique qu'il est trop tard et que je me suis engagé sur le périlleux chemin.

VIEILLIR OU ÊTRE VIEUX?

J'AI longtemps cru que l'épreuve résidait dans le vieillissement, la secrète approche de l'âge avec ses délitements, ses desquamations, ses éraillements. Arrivé au point où j'en suis, je me demande si d'être vieux n'est pas plus épineux encore.

Le vieillissement me cachait la vieillesse; la lente soustraction, le zéro. J'étais fasciné par l'usure – dont je tirais quelques accents de violoncelle – mais ne consacrais nulle pensée à la brisure. La mort, oui, abstraite et refusée, inimaginable et bientôt écartée du jeu des possibles, dominait tout mon paysage de sa présence-absence implacable. Mais je ne songeais jamais à cette avant-mort qu'est l'extrême vieillesse. Le spectacle m'en fut par le hasard épargné. Deux grands-pères disparus avant ma naissance; deux grand-mères emportées loin de moi par la rafale des froideurs et férocités familiales; mon père « tombé comme un chêne » (version officielle), à côté de moi. En vérité, assis dans le fauteuil voisin du mien au cinéma, il s'était tassé, avait émis un ronflotement vite transformé en râle, très bref, puis son buste avait basculé en avant. Mort propre, dont les suites avaient été orchestrées loin de moi, écarté pour cause d'enfance.

Plus tard, beaucoup plus tard, j'ai vu ma mère

entrer dans le grand âge et en descendre lentement les degrés. On dit aussi : *décliner.* Et il est vrai qu'elle disparaissait peu à peu (et nous pour elle), comme un navire semble s'enfoncer derrière la ligne d'horizon, du moins faisaient-ils ainsi lorsque j'étais enfant, à cette heure justement où la lumière décline, et nous restions interminablement sur la plage, dans le froid qui venait, à voir rapetisser les bateaux partis du Havre, dont bientôt seule une fumée restait visible, que le vent et le soir dissipaient.

J'ai connu aussi l'extrême vieillesse, plus ou moins tard venue, de ces amis que je m'étais choisis entre mes vingt et mes trente ans, de beaucoup mes aînés, choix qui me condamne, le temps ayant passé, à les voir un à un s'éloigner, glisser, certains à l'absence, d'autres au radotage ou au gâtisme, en tout cas m'abandonner sur le rivage des vivants à une solitude dont je n'avais pas eu à temps la prescience.

Vieillir, c'est éprouver une difficulté inattendue et croissante à accomplir des actions autrefois ordinaires, devenues problématiques ou inaccessibles. Non pas des prouesses, mais le plus banal : marcher sur un sentier rocailleux, évoquer à l'improviste un sujet en trouvant le mot juste, écrire. Sur le chemin de l'âge, l'écrivain est une des plus vigilantes sentinelles. Son travail quotidien l'affronte aux innombrables ankyloses, tâtonnements, approximations, lenteurs dont l'aggravation signale plus sûrement que le calendrier la proche vieillesse et ses engourdissements. Il « brûle », comme on dit à cache-tampon.

J'ai vu ce mal saisir mes vieux amis, réduire certains à l'état d'ombres, que lâchement je fuyais.

Quel goût m'avait poussé, à vingt ans, dans le sillage des sexagénaires ? Jeune homme, je détestais les jeunes gens. Le hasard des métiers et la dispersion des débuts de vie avaient éloigné les plus proches amis de mon adolescence : l'un se trouvait en Malaisie, l'autre à Madagascar. J'en fus réduit à des camaraderies subalternes ou réticentes. De cette époque date peut-être ma passion pour les jeunes filles : elles me paraissaient ne souffrir d'aucun des défauts des jeunes gens. J'étais un sage dans le genre du révérend Dodgson, qui raffolait de tous les enfants, à l'exclusion des petits garçons. A la Sorbonne, quand je m'y risquai, les étudiants me firent horreur, même les filles, si différentes de mes nymphes de Passy que je les soupçonnais d'appartenir à un sexe intermédiaire. Peut-être, à vingt-deux ans, me mariai-je pour ne plus appartenir à l'espèce honnie. Epoux, bientôt père, pauvre et très tôt obligé de gagner ma vie – je grappillais ici et là quelques sous depuis mes dix-huit ans –, il me sembla, malgré la bouille gamine dont je fus si longtemps pourvu, avoir tant soit peu vieilli. Quand j'eus publié mon premier livre et que le petit milieu de la littérature s'entrouvrit à moi avec une facilité déconcertante (et que j'aurais dû trouver suspecte), j'allai tout naturellement aux plus âgés de ceux qui m'accueillaient. Vers les uns, ce fut l'admiration qui me porta; vers les autres, la facilité : ils étaient si cordiaux, ils me doraient si bien la pilule...

J'ai nommé lâcheté la peur qui m'écarta de plusieurs de ces vieux amis le jour qu'ils donnèrent des signes d'épuisement. Lâcheté? Le mot est trop fort. La curiosité n'avait jamais été absente du sentiment qui me poussait vers ces *personnages* : elle aurait pu, quelques années plus tard, m'inspirer encore, et jusqu'aux excès du voyeurisme, si facilement travestis en fidélité. Une agonie, n'est-ce pas du bon pain pour le littérateur? On ne compte plus les « cérémonies des adieux », les morceaux de bravoure inspirés par la « mort du père » ou celle d'une mère, fût-elle « si douce ».

Ma peur de la décrépitude et des insupportables spectacles qu'elle impose fut plus forte que l'appétit de sensations rares. Je n'ai vu entrer dans la mort ni Chardonne, ni Aragon. Je n'ai pas fait provision à leur chevet de ces récits discrètement pathétiques que l'on sert ensuite, l'air modeste, toute une vie. Quand ma mère, à l'extrême fin, fut hospitalisée, ce fut à six cents kilomètres de moi. J'allais la voir en voiture, m'imposant ces heures de route au long desquelles, dans le vide de ma tête, s'insinuaient des pensées ténues, moroses, peut-être complaisantes. Quand j'arrivais, elle ne me reconnaissait pas, ou seulement un instant – son visage qui s'éclairait, ses yeux pâles – et l'instant d'après elle glissait de nouveau à l'absence, ou à ces évocations de son enfance dont je saisissais à peine quelques bribes dans le bredouillement qui coulait de ses lèvres, tout près desquelles, penché, je tendais l'oreille. Je restais à son chevet une heure ou deux, espérant, guettant une lueur de lucidité. Les meilleurs moments étaient ceux où elle tombait dans une somnolence entrecoupée de sursauts, de murmures. J'aimais son inconscience, qui m'innocentait. L'odeur sucrée de l'urine recouvrait tout. Un mûrier bougeait dans la fenêtre. Le ciel fut bleu tout ce printemps et cet été-là. Je restais assis, les coudes sur mes cuisses, mes mains serrées, indifférent à la religieuse ou à l'infirmière qui passaient parfois la tête dans la porte et disaient des choses molles. La pitié épaississait en moi, durcissait. Je me sentais devenir un bloc de désespoir et de pitié.

Un jour du mois d'août, au lieu de dormir à M. et de reprendre la route le lendemain matin, je partis pour Paris vers cinq heures, sous un début d'orage. Je roulai deux cents kilomètres dans la

17

pluie, les éclaboussures de boue, les effilochures de brume qui me cachaient les feux des camions. Parfois je m'arrêtais dans un café au bord de la route, d'où je téléphonais chez moi. Mais on ne m'attendait pas ce soir-là et personne ne répondait. Je repartais dans le paysage noyé qu'avait maintenant recouvert l'ombre. Pour rien au monde je n'aurais pris une chambre et attendu le matin. J'étais *poursuivi*.

Dans les faubourgs de Poitiers un petit mur couleur de nuit arrêta enfin ma course. Je sortis, hébété, sous l'averse. Les phares passaient sur moi dans les hurlements des avertisseurs. La grosse voiture paraissait n'avoir pas trop souffert. Elle manoeuvra dans les grincements mais se laissa conduire jusqu'à l'autoroute, ferraillant, déjetée, le volant tourné de quatre-vingt-dix degrés dans les lignes droites. Elle me traîna, à soixante à l'heure, jusqu'à Paris où j'arrivai à l'aube. On m'annonça trois jours plus tard la mort de ma mère.

IL FAUT BEAUCOUP DE MODESTIE

IL faut beaucoup de modestie pour écrire des romans, s'effacer devant des personnages, décrire des coins de rue, des coins de cœur. Beaucoup d'humilité pour s'effacer devant – ou derrière ? – de la vie *inventée*. Pour croire la vie inventée plus passionnante, plus urgente que la vraie.

Il faut une modestie et une humilité et une patience de bœuf pour tirer derrière soi une histoire, veiller à ce que le soc s'enfonce assez profondément – dans quoi ? Quelle terre labourons-nous ? Quelle réalité retournons-nous, qui vaille mieux que la vraie ? A qui prêtons-nous les mots des dialogues, les feux des passions ?

Dix fois, chaque jour, quand je travaille à un roman, mon stylo se lève, hésite. Il me semble qu'il ne se posera plus jamais sur le papier pour y tracer un seul mot. Tout en moi refuse soudain la convention. Si je cède à cette lassitude et m'écarte pour quelques jours du manuscrit, à peine commencée ou déjà épanouie, l'histoire, à toute vitesse, le fuit, me fuit. Elle entre dans la confusion et l'oubli. La fameuse phrase du romancier, si solennellement imbécile – « mes personnages m'échappent » – prend sens. Mes personnages font la belle. A peine ai-je le dos tourné qu'ils s'évadent du roman, cette prison. En somme, ils m'imitent. Je leur ai donné l'exemple. Ne m'arrive-t-il pas quand je pars en voyage d'oublier le dossier du roman en cours? Faute inexpiable pour un romancier, et inavouable. Quand, un peu plus tard, je rouvre le manuscrit, c'est pour m'apercevoir que je ne sais plus grand-chose de l'intrigue ni des personnages : j'ai oublié les détails de l'action, les lieux, les noms. Je relis avec curiosité les pages écrites quelques semaines auparavant, auxquelles parfois je ne comprends goutte. Pour certaines, je les trouve plutôt réussies, vives, la surprise est bonne; d'autres se révèlent pâteuses, laborieuses. Les premières pourraient relancer le mécanisme d'invention – les autres le bloquent. Il arrive que l'optimisme suscité par les meilleures dure assez longtemps : je me remets à raconter. Tant bien que mal je ramasse mes outils, consulte mes notes, tente de coller bout à bout des morceaux disparates. Le bœuf appuie son front au joug, il pèse, le poussif attelage se remet en marche...

... Ah, bien sûr, les héros changent parfois de nom, d'âge, de passé. J'attribue des délicatesses à la brute, des amants à la vierge. Je rature, j'intercale. Je multiplie les indications griffonnées à la hâte, les pense-bêtes. Des paperolles s'accumulent autour de moi. Si je suis en Provence, le mistral les fait s'envoler. Alors je punaise aux rayons de la bibliothèque de mystérieuses indications. Vous vous rappelez *L'Europe galante* : « Ne pas oublier de faire samedi l'amour avec Igor. » Mes aide-mémoire sont de ce style. « Sylvain baise Eliette le 14 juillet. » « Changer rue de la Ferme en avenue d'Eylau. » « Renoncer aux Sables-d'Olonne... » J'oublie de lever les yeux sur ces injonctions et, les pages s'entassant, Eliette se morfond bientôt dans la vertu le soir de la fête nationale et sa famille continue d'habiter Neuilly. Elle se retrouvera d'ailleurs Plaine Monceau ou au Vésinet quelques semaines plus tard, mais entre-temps mon stylo se sera de nouveau levé, l'à-quoi-bon m'aura une fois encore englué, le roman sera retombé en panne et Eliette, loin de mes soins, dans les bras d'un godelureau qui ne lui était pas destiné. Et pourquoi pas sur la plage des Sables-d'Olonne, par une nuit de lune ?

Le roman exige beaucoup de cette frivolité opiniâtre dont je manque. Le romancier doit être simple, allant, doué d'une nature arrangeante et vigoureuse. Je ne suis pas loin, parfois, de considérer son travail comme un prolo ou un paysan regarderait celui d'un couturier. Au fond de moi je pense : un homme a mieux à faire que de draper ces froufrous. J'admire sans parvenir à les croire tout à fait (ni, bien sûr, à les imiter), les romanciers de tempérament, les bêtes de prose, les conteurs dits « naturels » qui donnent de la fiction comme le pommier, ses pommes. Je rêve sur ces fécondités inépuisables qui précipitent le romancier, à peine son histoire bouclée, dans une autre où il s'ébroue avec un égal bonheur. Giono, dans son grenier de Manosque, décrivait le ballet, autour de lui, de ses personnages, passe-murailles, songes incarnés, et comment cette réalité seconde, inventée, prenait bientôt le pas sur l'autre, substituait ses violences et ses romances à une *vraie vie* pour laquelle l'écrivain ne s'était jamais passionné. Au reste, quand il s'y risqua, on le jeta en prison, ou il se jeta, lui, à des chimères et à des bergeries.

Aragon écrivait une première phrase comme elle lui venait et laissait tout le roman couler d'elle, une intrigue se nouer, une société prendre forme, une histoire se composer à laquelle, prétendait-il, il n'imposait rien, comme si elle lui eût été en quelque sorte dictée. J'aurais douté de cet orgueilleux aveu des *Incipit*[1] si je n'avais pas eu l'occasion de voir Aragon travailler, au Moulin de Saint-Arnoult, assis à la même table où je m'échinais. Il écrivait sans lever la tête ni la main, lisiblement, continûment, irrésistiblement, ne laissant aucune marge pour les repentirs, aucune place entre les lignes pour les ratures ni les corrections. Il n'y avait d'ailleurs pas de corrections, ou négligeables, la phrase enroulée et déroulée au seul rythme d'une facilité prodigieuse. Pourquoi, dès lors, douter que cette princière aisance régnât sur l'invention romanesque comme elle régnait sur l'écriture ?

Alors qu'il m'arrive, même chez Giono, que j'admire tant, de déceler comme un excès de fluidité, une facilité de bavardage – oui, même dans les merveilleux romans « stendhaliens » – et de me demander s'il n'eût pas mieux fait, parfois, de se tourner vers soi et de nous livrer quelques-uns des secrets que nous ignorerons toujours, jamais, dans les romans d'Aragon, je ne suis arrêté par le moindre soupçon de gratuité. Jamais : « Tiens ! pourquoi nous raconte-t-il ça ? » Il lui arrive de se faire plaisir, et même souvent, mais il nous offre alors un plaisir égal au sien et de même qualité. Cette petite supériorité dans l'aisance (la liberté) romanesque lui vient peut-être de ce qu'il n'aime pas assez ses personnages pour les étaler avec une niaiseuse complaisance. Il les tient à l'œil. Un développement romanesque paraît rarement inutile aux lecteurs quand il est teinté de sévérité. On le sait, pour être écrivain il n'est pas recommandé de trop s'aimer ; on sait moins que pour être romancier il ne faut pas béer d'affection pour des personnages que l'on a confectionnés. Le roman, si l'on veut absolument lui attribuer un

---

1. *Je n'ai pas appris à écrire ou les Incipit*, 1969, Skira éditeur.

rôle, est destiné à détruire les comédies, non pas à les accréditer. C'est pourquoi le récit de pur plaisir, s'il me séduit parfois, ne m'a jamais tenté – à supposer, évidemment, que j'eusse été capable de le pratiquer, ce dont je suis de moins en moins sûr.

Il ne faut pas prendre à la lettre ce que je viens d'écrire : ce n'est pas en détestant ses héros que l'on compose de bons romans; c'est peut-être en n'étant pas dupe d'eux; et encore, si la condition est parfois nécessaire, elle n'est jamais suffisante. Il faut considérer ce fond d'ironie, de défiance et de sévérité comme propre à favoriser l'invention de quelques rares personnages *positifs*, ainsi que disaient il y a quarante ans les zélateurs du réalisme socialiste. La critique sociale, la colère, la caricature composent le terreau où faire prospérer un ou deux personnages dignes d'être aimés. Aimés d'amour vrai, d'amitié vraie, et non pas seulement d'indulgence ou de compassion. On ne peut pas peupler exclusivement un roman de gens que l'on ferait tout pour ne jamais rencontrer ni fréquenter. Mais, il est vrai, nombre de romans que nous respectons ont pour héros des fragiles, des blessés. Il est difficile de les peindre tels qu'ils sont tout en montrant combien le romancier leur est attaché. Un roman ne doit pas être un hôpital. Scott Fitzgerald, d'instinct, le savait : Dick Diver et Gatsby, nourris de complicité et de pitié, sont des réussites quasi parfaites. Le lecteur ne s'y trompe pas, qui veut à la fois l'héroïsme et la fêlure, aimer et plaindre, s'identifier et garder ses distances. Giono, empruntant à Stendhal l'expéditive, multiforme et juvénile admiration du romancier pour Fabrice ou Lucien, a fait d'Angelo un personnage séduisant mais plat : on croirait qu'il ne lui tourne jamais autour, qu'il ne l'observe jamais de dos ni de profil, qu'il ne tente jamais d'entrer à l'intérieur de sa créature. Il le met en scène, ses pistolets à la main, son petit cigare à la bouche, et le place face au lecteur. Giono n'est pas assez *cubiste*. Il me semble que le romancier devrait plus souvent *passer par-derrière*. Nabokov aime Pnine, sans aucun doute, mais il ne nous embarrasse pas à l'excès de sa sympathie. Il l'a choisi, élu : c'est prouver l'amitié. Pour le reste, il le laisse vivre comme il peut dans le féroce aquarium de la société « académique » américaine, jusqu'à ce qu'il soit, par elle, vaincu, et s'en aille dans sa petite voiture vers le fond du paysage qui se referme sur lui.

Il m'a fallu, pour écrire quelques romans, déployer des ruses et prodiguer une énergie incroyables. Je suis seul – avec mes proches, peut-être, qui en ont subi les tumultes – à savoir quelle bataille, souvent comique, toujours harassante, j'ai menée contre les sentiments d'impuissance et d'inutilité. Le plus souvent je m'en suis tiré en amalgamant confidence et invention jusqu'à ne plus savoir où était l'aveu, où, le roman. Il m'est même arrivé d'utiliser la première personne et les apparences de la confession afin de donner à un récit ce frémissement inséparable de l'autobiographie (frémissement du style et malsaine excitation du lecteur), que je contrôle mieux, je le savais, que toute autre forme d'expression.

Une seule fois j'ai eu la sensation de publier *un vrai roman*[1]. Il m'avait coûté, en plusieurs campagnes, sept années de lutte contre moi-même. Ma « guerre de sept ans », que j'eus en fin de compte, et pour la première fois, la certitude d'avoir

1. *L'Empire des nuages*, 1981.

gagnée. Je n'avais pas, quelle victoire! puisé dans ma mémoire ni dans mon expérience (ou à peine : les paysages, les décors), mais risqué *une hypothèse sur moi*, ce qui devrait être sa règle de travail pour tout romancier que ne fascine pas le grand large. Après m'être deux fois interrompu, à bout d'innocence plus encore que de force, et avoir durant ces interruptions écrit et publié deux livres, je me remis au travail. J'éprouvai enfin la sensation que, cette fois, j'irais jusqu'au bout, le jour où l'évidence physique de mon héros, Burgonde, s'imposa à moi. Je ne me regardais plus au miroir pour savoir quelle tête il avait : j'inventais une de celles que j'aurais pu, dans un avenir proche, avoir. Soudain, je fus curieux de lui. Je m'aperçus que je détestais ses défauts, que j'aimais ses qualités, que j'observais sans les comprendre sa déchéance, ses sursauts, ses rémissions, bref que j'avais enfin réussi à arracher de moi un personnage, à l'écarter, à le placer assez loin de moi pour être capable d'en *faire le tour*. Or, qu'était Burgonde? Un gâcheur de chances, un boiteux, un buveur, un homme en train d'entrer dans sa vieillesse. Je mis du temps à le comprendre : je n'avais réussi à donner vie à un personnage que pour lui faire affronter avant moi l'épreuve de l'âge, que je redoutais entre toutes, où il me précédait. Je croyais avoir inventé Burgonde? Oui, c'était vrai, je l'avais inventé, mais il ne s'était animé que pour tomber dans le grand vide creusé au centre de moi.

AU FEU ROUGE

Quand, venant de la rue d'Estrée, on arrive place de Fontenoy, outre qu'on a l'œil occupé par diverses architectures militaires (il y a là un manège de belles proportions) et par les drapeaux de l'Unesco battus par le vent en haut de leurs mâts, on ne pense guère qu'à surveiller, sur la gauche, les voitures qui débouchent des avenues de Saxe et de Lowendal. De sorte qu'on risque d'oublier, à main droite, celles qui ont la priorité, certes, mais selon un angle aigu, et exigent, pour être repérées, qu'on tourne la tête dans une position inhabituelle et qui excède les possibilités d'une nuque raide, de vertèbres cervicales nouées et de la désinvolture d'un vieux conducteur.

Tout cela, aggravé par un crépuscule d'hiver, explique le tort où je me mis un soir de décembre au début des années quatre-vingt.

Je ne vis pas arriver par l'avenue de Lowendal (craquement de vertèbres), une voiture qui, je le présume, dut ralentir pour me laisser aller mon chemin. De frénétiques appels de phares me révélèrent sans tarder mon inconduite. Je levai la main dans un geste d'excuse et d'apaisement qui fut sans doute mal interprété.

Aux feux proches, ceux de l'avenue de Suffren, la voiture à laquelle j'avais volé la priorité vint se

26

ranger derrière la mienne, et non pas à ma gauche comme l'eût voulu l'usage selon lequel l'automobiliste courroucé, penché vers le fautif, se vrille la tempe de l'index ou l'injurie jusqu'à ce que le feu repasse au vert. De la voiture jaillit une silhouette que, dans mon rétroviseur, je jugeai juvénile. J'eus le temps, pendant que l'inconnu marchait vers moi, de baisser ma vitre afin de désarmer, par ma courtoisie et mon humilité, une colère capable de jeter dans le froid un homme à qui, somme toute, rien n'était arrivé que de devoir donner un coup de frein.

C'était en effet un jeune homme. Il était en proie à une indignation extrême. Quand il se pencha vers moi – sa tête grimaçante encadrée par la portière – je vis que ses mains, qu'il avait posées sur le rebord de la vitre, tremblaient de furer.

– Je suis tout à fait dans mon tort, dis-je, et je vous prie de m'excuser, je ne vous avais pas vu...

Il m'interrompit par ces mots :

– Vous! Vous ne... Vous êtes un criminel... On nous dit qu'il faut respecter les vieillards... Mais des vieux comme vous, on devrait... on devrait les écraser! Les supprimer... les supprimer...

Je vis blanchir les jointures de ses doigts, puis il leva les deux mains, les reposa violemment, les faisant claquer sur la portière. «... Les supprimer... » Après quoi il se redressa, regagna sa voiture et, un instant après moi, franchit le feu redevenu vert. Nous nous perdîmes vite de vue dans la nuit.

Arrivé chez moi, je me regardai dans un miroir, encore vêtu de mon manteau, emmitouflé dans un foulard. Je baissai même les lumières afin de reconstituer approximativement la pénombre qui régnait avenue de Lowendal. Je m'observai un bon moment, essayant de m'imaginer tassé derrière mon volant, barbu, aimable, la voix trop douce, et de me voir comme si je ne m'étais jamais vu. Puis je rallumai les lampes, me dévêtis et allai dîner.

BRATISLAVA I, CONFIDENCE

L'Union des écrivains slovaques est installée dans une demeure de bourgeoise apparence, bordée d'un jardin. Neuilly mâtiné de Munich. Epaisses et sombres, les boiseries datent-elles du début du siècle ou des lendemains du traité de Versailles ? Je m'y perds dans les styles entre le crépuscule de l'Empire, si novateur, et l'éphémère démocratie tchécoslovaque, à l'aube de laquelle j'imagine qu'un industriel aurait pu se faire construire cette villa cossue, ventrue, où flotte un air plus germanique qu'austro-hongrois. Aux boiseries sont punaisées des notes, des affiches, l'annonce de ma visite.

Les poètes, romanciers, traducteurs qui m'attendent dans le grand salon sont en service commandé : on m'a traduit en tchèque, mais pas en slovaque, de sorte que la conversation ne risque guère de sortir des courtoisies officielles. En Bohême, en Moravie, où mes interlocuteurs n'avaient pas besoin de lire le français pour savoir qui je suis, je me sentais en terre familière. Ici, je redoute la palabre.

Une table est dressée, chargée de verres et de plats : du salé, du sucré, du blanc, du rouge, de l'alcool, du café. Il est dix heures du matin. Tout de suite on porte des toasts. Mon interprète égrène les banalités habituelles, les miennes et celles de mes hôtes, dites avec ce qu'il faut de componction, mais souriante : les Slovaques ne sont pas des buveurs de bière; ce sont des méridionaux, d'humeur gaie. Ma femme, avec son imprudence coutumière, finit de vider un grand verre de vin fort et fruité, d'un rouge presque bleu. Ses yeux brillent. Je me sens moi aussi les oreilles chaudes et bruissantes. Aux murs, bien centrées dans les moulures en carrés de la boiserie, des gravures de chasse dans le genre anglais : le soleil, qui s'est levé, joue sur les habits rouges et les robes fauves des chevaux. Le président de l'Union des écrivains ne lâche plus la parole; un imperceptible sourire dérange le visage de Miro pendant qu'il le traduit; l'honneur d'un guide-interprète socialiste, dont le ton rappelle les lectures *recto tono* des monastères d'hier, consiste pourtant à garder le visage impassible.

Je bois une seconde tasse de café, après le vin blanc et la slivovice. Je trouve du goût à la vie. On se tourne vers moi : il est temps de répondre. Je demande qu'on veuille bien m'excuser si je reste assis. En effet, je voudrais conférer à notre rencontre, qui compte beaucoup pour moi, un caractère familier. Et pourquoi compte-t-elle pour moi? Au risque de surprendre, et de rompre avec les usages un peu compassés de ces sortes de rencontres (Miro a buté sur « compassés », mais il a dû trouver la bonne traduction puisque je vois deux ou trois regards s'allumer), au risque, donc, de les surprendre, je dois avouer à mes hôtes que je connaissais déjà Bratislava, que ce voyage n'est pas une découverte mais un retour, et que j'ai ici, qui sont en train de se ranimer, des souvenirs d'été, de jeunesse et d'amour.

A ces mots, et l'on serait étonné à moins, des sourcils se lèvent, les distraits ramènent vers moi leur attention, et ma femme me jette un regard tout à fait amusé.

Je suis déjà venu en Slovaquie, dis-je, il y a si longtemps que sans doute plusieurs d'entre vous – je cherche parmi mes auditeurs à repérer les visages les plus jeunes – n'étaient pas nés ou n'étaient encore que des enfants. Alors que moi, j'avais vingt ans...

On s'ébroue à cette bonne nouvelle.

N'est-elle pas importante, la ville où l'on a eu vingt ans ? Saurait-on l'oublier ? Je m'entends développer ce thème, broder, enjoliver mon récit de détails savoureux et inédits – même pour moi. Je m'entends *inventer*. Car s'il est vrai que je suis venu à Bratislava l'année de mes vingt ans, il ne l'est pas de prétendre avoir fêté ici mon anniversaire – je me rappelle comme si c'était hier le lieu où je situe cet épisode – ni de raconter qu'on avait bu du vin blanc, chanté des chansons françaises, trinqué avec des amis inconnus. C'était l'été, oui, une fin d'été dorée, et les femmes étaient belles.

Autour de moi, vingt-cinq visages curieux et malicieux m'observent. Qu'arrive-t-il au visiteur français ? A-t-il trop bu pour l'heure matinale – le voilà qui lève encore le coude – ou méconnaît-il à ce point les usages qu'il nous livre bel et bien des confidences ? Il parle d'une jeune fille, maintenant, et son évocation se fait un peu confuse : une Slovaque ? Une Française ? Il prononce son prénom, qu'on entend mal, mais la consonance est française. Sans doute une amourette de jeunesse, un souvenir presque oublié qui resurgit sous les effets conjugués du dépaysement, de notre bon vin de Pezinok et de cette étrange émotion, plutôt sympathique, à tout prendre, qui semble avoir cueilli notre Français et fait maintenant qu'on se lève, qu'on l'applaudit, qu'on lui tape sur l'épaule et que le président de l'Union lui donne l'accolade avant de lever une dernière fois son verre.

Que m'était-il arrivé, ce matin de novembre 1986, à Bratislava? A qui m'étais-je adressé pour dire : A cette époque-là vous n'étiez pas nés? Autour de moi, pendant qu'on me congratulait, je ne voyais que les yeux cernés des cardiaques, des paupières rougies, des peaux mangées de macules et de tavelures. Il est vrai que désormais mes contemporains m'intimident. La tête me tournait. Un rien d'ivresse, probable. Mes hôtes avaient raison de me considérer avec une espèce d'amusement. Je ne sais pas résister à des bouteilles ouvertes, à un buffet appétissant, surtout si les circonstances sont de celles où le bon sens imposerait la circonspection. Je n'ai jamais prononcé une causerie, animé un débat, etc., sans m'être noirci le museau. Il m'arrive même de monter sur l'estrade un verre de vodka-tonic à la main, qui a la rassurante apparence de l'eau gazeuse. J'aime me dédoubler, entendre les mots filer devant moi au hasard. Et ce matin-là, dès l'instant où j'eus évoqué ce voyage vieux de trente-neuf années (à quelques mois près il datait du temps qu'avait ressuscité, en m'écrivant, la dame retirée en Bretagne dont il sera plus loin question), je me sentis irrésistiblement tiré vers les demi-inventions que je m'entendais tricoter, détailler – et comment aurais-je fait sans elles puisque, je m'en apercevais, j'avais presque tout oublié de cette fin d'été 47 où j'avais tant aimé Bratislava. L'oubli appelait la nostalgie, la fable, cette espèce de prologue de roman que ma voix racontait. Ma voix, oui, lâchée devant moi, qui galopait loin devant moi, comme j'aime.

Nous étions arrivés en Slovaquie la veille, venus de Brno dans la voiture d'un attaché de l'ambassade de France. Et depuis la veille, depuis notre installation à l'hôtel et la longue errance que nous avions risquée dans les rues nocturnes, sous les rafales froides, je cherchais en vain une image capable de rendre vie à d'autres images, j'attendais un déclic, un éclair de reconnaissance. Mais ma mémoire refusait tout service. Pleine pourtant d'abstraits souvenirs, elle restait amorphe, sourde à toutes les sollicitations dont la ville aurait dû la combler. Alors, puisque les lieux étaient muets, j'interrogeai ce sentiment diffus en moi, à la fois dense et vague, cette certitude dont j'étais habité d'être venu ici autrefois, d'y avoir serré de près une fille, aimé les palais baroques, bu du vin blanc, écouté de la musique, dansé. Mais rien là-dedans ne me parlait. Aucune correspondance ne s'établissait entre l'ancien voyage et l'actuel, la découverte et le retour, le décor de mes vingt ans et ce que quarante années en avaient fait.

La jeune fille ? J'avais inventé son nom pour les besoins de mon monologue et ne conservais nulle trace en moi de son visage. Comment étais-je venu, où avais-je logé, combien de jours étais-je resté ? Je n'en savais plus rien, tout m'avait fui. Ce souvenir installé en moi, planté dans mon passé, constitutif de ma jeunesse au même titre que cent autres, il aurait pu aussi bien être imaginaire. Je superposais des impressions nouvelles aux anciennes sans les ranimer.

Trois jours durant j'ai tourné dans la ville à la recherche de décors que personne ne semblait avoir connus. Des éditeurs, des écrivains, le ministre de la Culture, des étudiants : aucun de ceux à qui je posais mes questions n'était capable d'y répondre. L'un n'était pas né, l'autre habitait alors Ostrawa, le troisième, largement dans mes âges, se trouvait en 1947 à Moscou en train d'y apprendre les lois du léninisme. (Il aurait dû y croiser Genton – voir ci-dessous – à en croire les vipères de

Koto-Zoro...) Où étaient donc passés la ville que j'avais connue, ses habitants qui marchaient dans la nonchalance de l'été? Où, la jeune fille sans nom ni visage à qui j'essayais de faire aimer les livres qu'à cette époque je transportais partout avec moi? Je lui avais annoncé, bien sûr, peut-être même dès l'interminable voyage par le chemin de fer qui nous avait conduits, je le suppose, jusqu'en Bohême et en Slovaquie, mon intention (ou faut-il dire ma résolution, ma volonté?) de devenir écrivain. M'avait-elle cru? Avait-elle été plus généreuse ou crédule que, quelques mois auparavant, la dame aujourd'hui retirée en Bretagne? Quelle allure avais-je alors? De quel pouvoir de convaincre étais-je détenteur? Je marchais dans les rues de Bratislava, où je me souvenais d'avoir pris des photographies, autrefois, mais les photographies avaient été emportées dans la douce et inexorable tornade du temps. Je me souvenais de deux ou trois d'entre elles, mais pas des lieux où elles avaient été posées, ni de qui tenait l'appareil. Je me souvenais de souvenirs – autant dire de rien.

A la fois irréelle et passionnée, cette quête ou cette enquête a laissé en moi une marque tenace. Je m'aperçois qu'en deux ans, à deux reprises, je l'ai racontée, plus ou moins mise en scène et interprétée (comme j'avais interprété les réalités oubliées de 1947 à l'Union des écrivains), une fois dans une chronique destinée à un magazine suisse (où l'on illustra mon texte avec une photo de Salzbourg, une ville baroque en valant sans doute une autre...), et une autre fois, celle-là plus énigmatique, même à mes propres yeux, au début d'un roman inachevé (abandonné?) au moment où sont écrites ces lignes. Un début de roman : n'est-ce pas ce que j'avais eu l'impression de composer, de façon spontanée, presque involontaire, mon verre de vin à la main, dans la villa du quelconque ci-devant où siège l'Union des écrivains slovaques ? Mais dans ce roman inédit, sans doute en panne et promis à la boîte à chaussures comme tant de mes productions littéraires, et même, pour être précis, dans les deux versions successives que j'ai écrites de son premier chapitre, mon sujet s'était dédoublé, devenant à la fois 1947 et 1986, ma jeunesse et son contraire, la comédie de mes ambitions et celle de ma « réussite », l'oubli et la mémoire.

Au prix d'un effort très subtil, je suis parvenu à écrire ces pages que vous êtes en train de lire sans recouper tout à fait la chronique du magazine lausannois ni les épisodes du roman en chantier, textes qu'on trouvera à la suite de celui-ci, l'intention, je la confesse, étant de ne détruire aucune des trois ou quatre versions composées, qu'il me semble avoir bâties comme des espèces de garde-fous, de margelles maçonnées autour du *trou de mémoire*, afin de garder trace de cette panique que l'oubli provoque en moi et de mes efforts pour la conjurer. A Bratislava, le destin s'est amusé, comme on donne un coup de pied dans une fourmilière, à bouleverser l'architecture fragile, peut-être incohérente, de mes vrais et de mes faux souvenirs. Et je devais en effet ressembler à une fourmi affolée, parcourant la vieille ville, posant des questions, harcelant mes interlocuteurs, découvrant – le coup de pied – que l'on avait détruit le quartier de la synagogue, rasé des ruelles (et peut-être celle où, une nuit, j'avais giflé la jeune fille pour la dégriser), bâti un pont géant, asphalté de vastes parkings et fait disparaître, comme par un enchantement, le lieu, un peu magique en effet et que seule de la sorcellerie pouvait avoir volatilisé, où les femmes étaient si belles, la musique si nostalgique, et où je prétendrais, une vie plus tard, avoir fêté mes vingt ans.

BRATISLAVA II, CHRONIQUE

Passé la monotonie verte de la pampa, on nous a signalé, « à la droite de l'appareil », la ville de Mendoza. Déjà le paysage avait viré à l'ocre. Sauf au creux des vallées, la végétation disparut et les Andes, d'un coup, se dressèrent. Chaos couleur de chocolat, pelé, rugueux, jeté d'un seul élan à l'assaut du ciel d'où nous ne dominions plus rien : la cordillère fut soudain couverte de neige et ses sommets culminèrent à notre altitude, l'Aconcagua les écrasant tous, qui nous surplombait. Non pas un pic, une pyramide, une aiguille à la façon des Alpes, mais une massue, une gigantesque bombe glacée.

Celui d'Air France tombé en panne à Buenos Aires, j'avais pris place à bord d'un Boeing de la Swissair. L'hôtesse s'approcha de moi. L'avion était aux trois quarts vide : le Chili est un bout du monde. Elle constata que la viande séchée du Valais était, à son goût, moins savoureuse que la *Bündnerfleisch* et qu'elle me comprenait d'en avoir laissé dans mon assiette. Avec gentillesse, d'un geste presque familial, elle versa le fond de la bouteille de salquenen dans mon verre.

– J'ai beau être de Chippis, dit-elle, pour moi j'achète toujours de la viande des Grisons...

Elle avait le corps franc, hâlé et le visage accom-

36

modant que j'aime chez les filles de Suisse. J'étais partagé entre l'envie de lui sourire et celle de contempler, par le hublot, la montagne étincelante. La couverture du menu était agrémentée d'un chalet bernois esquissé à l'aquarelle. Je le désignai, du menton, à l'hôtesse :

– L'Europe ne nous lâche pas, hein ?

– Oh ! vous savez, dans notre métier...

C'était une sage réponse. Les haut-parleurs diffusaient en sourdine une de ces musiquettes sur lesquelles, autrefois, il m'était arrivé de danser le samedi soir à Andermatt ou à Oberammergau. Je n'étais pas mécontent qu'on arrosât mes racines, ni que la chère vieille maison m'enveloppât de nostalgies et de familiarités. N'allais-je pas chez le diable ? Tous les gens à qui j'avais dit partir pour l'Argentine et le Chili avaient sursauté : « Chez Pinochet !... » Et voilà qu'après dix jours de steaks gros comme ça, de tango et des charmes de Buenos Aires, je volais vers l'inquiétante dictature à lunettes noires. Légers frissons.

Ma belle Valaisanne soupira.

– Il faudra aller voir la maison de Pablo Neruda, à Valparaiso, dit-elle. Vous savez, celui qui a eu le prix Nobel...

– Et celle de Gabriela Mistral ? Vous l'avez visitée ?

Mais elle ne connaissait pas Gabriela Mistral, malgré son beau nom de vent, et bien qu'elle eût reçu le Nobel, elle aussi. Elle parut étonnée :

– Ils en ont donc eu deux ?

Quelques jours plus tard, un dimanche matin, à La Serena, l'Europe m'attendait encore, paradoxale, sur le trottoir où un vendeur de photographies de vedettes avait étalé sa marchandise, autour de laquelle se pressaient les enfants. Des séductrices de treize ans se tenaient un peu en retrait, soucieuses de n'afficher qu'une curiosité plus distante. Tous, gamins et gamines, vêtus d'uniformes immaculés, frais repassés, venaient de défiler au son de la fanfare militaire qui continuait son aubade sous les grands arbres au feuillage vernissé, les mêmes, me semblait-il, qu'à Rhodes, où parfois ils ombragent toute une place et les terrasses de deux ou trois petits cafés. L'Europe ? Ah ! oui : sur le trottoir, parmi les dentures éclatantes et les yeux de braise des idoles locales, voilà que j'apercevais Julio Iglesias, pour qui, ne sachant rien des mystères du monde hispanophone, je conçus immédiatement une déférence inattendue, de le trouver là, dans la poussière de La Serena, aimé des écoliers et leur servant peut-être d'antidote aux saluts aux couleurs, défilés au pas cadencé, discours héroïques qui semblaient composer leur ordinaire dominical.

C'est drôle, les chanteurs. Les gens de ma sorte font profession de les ignorer, sauf à vouer un respect excessif et un peu ridicule à quelques anars de *show-biz* réputés avoir élevé la chansonnette à la dignité de croisade idéologique. J'avoue leur préférer les goualeuses épaisses, les don Juans calamistrés. Un soir, à Jaipur, comme je tentais d'expliquer ce goût à de raffinés Indiens qu'Oxford avait imprégnés d'inguérissable élégance, ils me menèrent avec des sourires entendus dans une vaste salle où se produisaient des chanteurs de cinéma. Beaucoup des innombrables films indiens sont des drames musicaux. Bien que muettes – elles se pâment en remuant les lèvres sur la musique des autres – leurs stars jouissent d'une extraordinaire adulation. Mais les chanteurs qui leur prêtent voix, loin d'être injustement oubliés, ont eux aussi conquis la célébrité, une célébrité en quelque sorte parallèle à celle des comédiens; radio et disques les enrichissent; ils donnent de ville en ville des récitals où se presse la foule. Quel déroutant spectacle que de les voir, postés négligemment autour des micros, en jean et chemisette, mains dans les poches ou tirant sur une cigarette, grassouillets, désinvoltes, détaillant d'interminables tubes aux premières mesures desquels tout le public trépignait.

Mes beaux amis, experts en palaces londoniens et en *greens*, m'observaient du coin de l'œil. Ils furent déçus : je ne leur fis grâce d'aucune chanson. Le destin des *play-back singers* n'était-il pas comparable à celui de cette Nicole Croisille dont, après *Les Parapluies de Cherbourg*, nous fîmes en France une chanteuse célèbre ? Il était donc permis aux ténors ventripotents et aux divas mal tenues de Jaipur d'espérer « passer la ligne » un jour ou l'autre, pour s'épanouir à leur tour en étreintes géantes sur les écrans d'Orient.

Foule sombre et blanche de Jaipur – sombres les visages; blanches ces amples chemises que portent souvent les hommes : sa présence, son halètement, la façon dont brillaient dans l'ombre les regards fixes, les dents gâtées, tout m'est revenu, que je croyais oublié, avec une intensité suffocante, un soir d'hiver, dans cette salle de concert de Prague où l'on nous avait menés écouter Beethoven. Public gris, respectueux, fatigué. Toutes places à dix couronnes : victoire de la culture socialiste. Décor immense et hideux, vestige le moins flatteur de l'ancien faste impérial. A aucun moment du concert les lumières ne furent éteintes. Ainsi procédait-on en France sous l'occupation allemande, quand, au cinéma, l'on rallumait les lampes tout le temps que durait la projection des actualités, afin que le policier debout devant l'écran, face au public, pût repérer d'éventuels ricaneurs et intervenir. Aucun rapport ? C'est vrai. Personne n'allait siffler Beethoven ni l'excellent orchestre de Prague, mais le malaise ancien, en moi, évoqué et ranimé, m'oppressait. Je voyais les gens tendus, penchés vers les musiciens, et dans leurs yeux délavés – ces regards usés de l'Europe centrale –, noyés comme par des larmes, il était permis de lire les tenaces mélancolies d'une nation trop souvent et longtemps tyrannisée. Même si rien ne m'autorisait à tirer les conclusions que tout, cependant, me suggérait, cette soirée de fête était lourde de tristesse.

Ce voyage en Tchécoslovaquie se déroulait d'ailleurs – est-ce un privilège de l'âge? – dans la perpétuelle et changeante lumière de souvenirs qui se dérobaient à moi. J'étais venu ici près de quarante ans auparavant, l'été 1947, celui de mes vingt ans, dans ce moment où la vie imprime profond en nous ses marques. Un Congrès Mondial de la Jeunesse avait eu lieu quelques semaines avant mon arrivée; le « coup de Prague » suivrait de peu mon départ. On sentait le pays vaciller entre plusieurs destins possibles. J'essayais, à l'hiver 1986, de superposer l'été 1947 dont pourtant les traces déposées en moi semblaient se diluer. Je ne procédais pas par associations, à la façon de ces touristes qui ont « fait » tant de pays que chaque église baroque de Bavière leur en évoque une de Colombie, et la Vallée des Rois, un mélange du Mexique et du Colorado. Je tentais plutôt, avare qui se rassure en comptant son or, de vérifier que les lieux restaient conformes à ce qu'ils étaient devenus dans mon souvenir, et que ma mémoire elle-même, docile, vivace, demeurait à la disposition de ma nostalgie. Mais j'avais tout oublié – à moins que tout n'eût changé. De Prague, je ne reconnaissais que les décors qu'une photo de moi en jeune homme maigre avait fixés dans ma mémoire, avec en arrière-plan une façade du Hradcany, ou ceux dont un film tiré en 1969 d'un de mes romans, *Le Corps de Diane*, m'avait imposé des images furtives, mouvantes, au premier plan desquelles Jeanne Moreau et Charles Denner volaient la vedette à la ville plus grise que dorée, à peine guérie de sa révolte de 1968, aux murs encore marqués de slogans mal effacés.

A Bratislava, quatre jours durant, je demandai qu'on m'aidât à retrouver cette vaste cour carrée, entourée de galeries à arcades et décorée en son centre d'un motif d'architecture rocaille. On y goûtait autrefois en plein air et j'y avais fêté mes vingt ans, la main dans la main d'une jeune fille dont j'avais oublié, je m'en rendais compte, le nom et le visage. On me regardait avec un étonnement désolé. Il n'existait rien de ce genre dans la ville, aucun vaste café de plein air, aucune guinguette géante installée dans ce caravansérail dont je persécutais mes amis à force de descriptions. Je pressai mon guide : hélas, il n'était pas né en 1947. J'interrogeai mon éditeur, un libraire, le ministre de la Culture : l'un n'avait à cette époque-là que cinq ans; l'autre était originaire de Brno; et le ministre, entre maquis, Moscou et Révolution, n'avait guère vécu à Bratislava...

Tout, devant moi, se troublait et se dérobait. Ma jeunesse, la jeune fille sans nom, n'avaient soudain pas plus d'existence que ce couvent, ce khan, ce vaste carré d'architecture dont commençaient à se lasser mes interlocuteurs alors que resurgissaient en moi, lancinants, des lambeaux de musique tzigane, le goût des sorbets au citron, celui des lèvres de mon amoureuse, la chaleur du soleil et jusqu'au ton traînant sur lequel parlait ce joueur de tennis qui ne nous lâchait guère, une sorte de play-boy à l'élégance fatiguée, à la langueur magyare. Mais quarante ans plus tard les champions tchèques s'appelaient Lendl, Smid, Navratilova et – regardez-les! – n'avaient rien, vraiment rien de langoureux séducteurs danubiens...

Au moment du départ, comme tournait déjà le moteur de la Tatra garée devant l'hôtel Devin, nous eûmes envie de faire quelques pas sur le quai du fleuve. Il nous fallait contourner la bâtisse futuriste de la Galerie nationale slovaque, bariolée d'orange criard, que nous n'avions pas eu la curiosité de visiter. Des flocons volaient dans la brume froide. A peine franchi le coin de la rue, la façade de la Slovenska Galéria, côté Danube, ménageant une longue trouée afin qu'on vît l'ensemble de ses bâtiments, mes trois étages d'arcades m'apparurent, encadrant un pavillon baroque, intacts, restaurés, parfaits. On avait, d'évidence, rasé le quatrième côté de cette espèce de cloître géant pour jeter, entre les délicates architectures XVIIIe ce pont de béton gris sous lequel, émerveillé, je m'étais immobilisé.

— Tu as une fameuse mémoire, remarqua ma femme. J'aurais pu dessiner tout ça d'après tes seules indications...

— L'orchestre se tenait là-dessous, dis-je en désignant la haute fenêtre de l'avant-corps, son toit délicat, les ferronneries du balcon.

Là où je me rappelais les tables, les femmes en robe d'été, les serveurs circulant une chope de bière accrochée à chaque doigt, blanchissait sous le givre une pelouse où se dressaient quelques bronzes massifs et patriotiques.

Notre interprète, impatient, venait déjà à notre recherche. Je lui montrai, sans rien dire, la vaste cour. Il leva les sourcils, amusé : « Ça ? Oh ! non... Ce ne peut pas avoir été un bastringue (c'est le mot qu'il employa), c'était la caserne de la cavalerie, sous Marie-Thérèse !... »

Cinq minutes plus tard, enfoncé dans la limousine, je regardais, pacifié et incertain, défiler sous mes yeux, sûrement pour la dernière fois, la ville qui semblait frissonner. « Jamais, pensai-je, je ne reviendrai à Bratislava. » Les rafales de neige s'épaississaient. Souveraine, indubitable, la vision que j'emportais de la grande caserne au destin capricieux s'était déjà substituée à l'autre, à la romanesque, à l'ensoleillée, et je devinai que ma rage de remettre mes pas dans mes pas avait probablement tari la source vive de l'émotion. Ecrivain, je prenais un risque absurde à trop vouloir *avérer* mon passé. La littérature, c'est de la mémoire invérifiable. Un mélange d'hypothèses et d'illusions. Le résultat de cette chimie qu'opèrent sur la mémoire le temps, l'oubli, l'embellissement sentimental, la broderie des mots. Se souvenir, pour un écrivain, c'est accepter la dessiccation et la métamorphose du souvenir et en tirer le meilleur parti. Plus jamais, hélas, dans mes songes, de jeunes femmes en robe claire ne riront dans la cour de l'ancienne caserne. L'hiver de mes soixante ans les en a chassées.

BRATISLAVA III, ROMAN

Le Tupolev sent la soupe. L'Est sent la soupe.
Autrefois le réfectoire des collèges, la tisanerie des
cliniques pieuses imprégnaient choses et gens
de cette odeur d'âge, de patience et de rata.
Aujourd'hui c'est le socialisme. On a expliqué au
voyageur le caractère du conseiller commercial, la
finesse de la négociation, la paranoïa dont ris-
quaient de souffrir ses interlocuteurs, le charme de
grisaille et d'or de Prague – ah, le vieux cimetière
juif ! Développement très sensible du sous-directeur
d'Europe – mais on a oublié la soupe. On ne l'a pas
mis *au parfum*.

Grand renifleur, le voyageur sollicite sa mémoire : boulettes, patates en sauce, goulache,
graisse, pain noir, et cette aigreur qui s'élève des
vieilles batailles entre sueur et savon – son nez
conserve-t-il, il y a si longtemps, de ces souvenirs ?
En lui des réminiscences frémissent, une vague
peur. Au lendemain de la guerre, tout ça, c'était le
remugle allemand. Quiconque avait approché d'un
peu trop près les casernes de l'occupant reconnaissait l'odeur. Passé le Rhin, l'Europe sent le graillon
et le bouillon.

Les hôtesses et les stewards offrent d'austères
plateaux. Ils sourient peu. L'avion tangue dans la
nuit pluvieuse de novembre. Le voyageur relit pour

la troisième fois la note qu'on lui a remise au ministère. Cette mission : une aumône, un os à sucer avant la niche. Ouvrira-t-on une librairie française à Prague ? Tout le monde semble s'en ficher. Fatalisme courtois et sceptique des hauts fonctionnaires à quoi depuis bientôt quatre ans il se heurte. Rapports, dossiers, projets de dépêche que l'ambassadeur lestait de barbarismes chics : elles couleraient plus sûrement.

L'avion descend maintenant vers Ruzyně. De son premier séjour ici, le voyageur croit se rappeler un interminable voyage par quoi tout avait commencé : wagons disparates, attentes absurdes à Francfort, à Nuremberg, avec l'arrière-plan de ruines, et sur les quais des gares les Allemands entassés, résignés. Tout le monde alors était vêtu de gris, de noir, de verdâtre : uniformes aux insignes arrachés. Les hommes portaient à la main une serviette de cuir. Peaux blêmes, maigreur, souvent des béquilles, une canne.

Vrais ou faux souvenirs ? Voyage vers Prague ou, plus proches encore de la guerre, ces incursions que les jeunes gens de ce temps-là faisaient volontiers en Allemagne. Une fois en zone française on trouvait le moyen de passer chez les Américains, et en se débrouillant mieux encore, d'obtenir d'eux une « *P. X. Card* » qui ouvrait l'accès aux magasins fabuleux où cantinaient les militaires. Premier parfum de l'Amérique : ces supermarchés installés dans des baraquements, au bord des camps. Sans doute se serait-on cru dans les banlieues de l'Illinois ou du Minnesota si l'on avait connu l'Illinois, le Minnesota. Le samedi soir les officiers et leurs bonnes femmes dansaient sur des musiques molles dans le bâtiment tudor-bavarois d'un club de tennis réquisitionné. Les petits Français n'y avaient pas droit. Uniformes sans une froissure, femmes aux cheveux éternellement propres qu'elles secouaient en avant, parfums sucrés de l'Amérique, qui avaient noyé le graillon schleu.

Aérogare moderne, déserte, déjà entrée dans la nuit. Le voyageur pense à l'avidité avec laquelle, autrefois, il aurait scruté tout ce qui l'entoure. Cette curiosité est tombée de lui. D'ailleurs, en ce temps-là, rien n'existait ici qui ressemblât à cela, qui copiât ainsi l'Occident. Passé le contrôle des passeports, ni plus tatillon ni plus glacial qu'à Roissy, un jeune homme hésite et s'avance vers le voyageur, la main tendue. Il a visiblement balancé entre deux attitudes : celle qu'il avait préparée et celle que la circonstance lui semble requérir. « Bonsoir, cher collègue! Pas trop fatigué? Notre vol du mercredi n'est pas des plus luxueux... » Etc.

Ils lui ont envoyé un petit attaché de rien du tout. Cinq minutes plus tard, sa voiture le confirme, une coccinelle bringuebalante. Le voyageur s'y replie à grand-peine et bougonne. Il n'a pas encore prononcé trois paroles audibles.

Je me nomme Sylvain Genton et je suis laid. Fort, mais laid. J'habite dans le septième arrondissement de Paris, avenue Emile-Acollas. Bonne adresse (choisie pour les raisons qu'on découvrira plus tard), mais trois pièces, hélas, soustraites à leur appartement par des bourgeois dédorés. Ils ont gardé pour eux les meilleures, qui dominent des marronniers roses. Mon salon a des modesties de chambre à donner, avec sa cheminée en cipolin anémique, de ce Louis XVI dont le quartier, vers 1920, raffola. Je m'étais juré de bazarder ce trou dès mon retour d'Afrique. Tant qu'ils sont en poste, on flatte les fonctionnaires d'un traitement propre à nourrir des rêves de grandeur. Revenu à Paris, j'ai réintégré mon trois-pièces. L'absence l'avait encore attristé. Même affamé de respectabilité, j'ai toujours habité des lieux semblables à mon physique : ingrats. Logements de colonel en retraite, de curé défroqué. A la retraite, oui, demain, et même deux fois défroqué, mais ni prêtre, ni guerrier. Enfin, je veux dire que tout chez moi est voué à la symétrie : deux fauteuils des deux côtés de la cheminée sur laquelle se dressent deux chandeliers. Des angles droits, des perpendiculaires, des peintures dans le genre d'Hubert Robert, copies de copies.

J'ai passé trois ans à Koto-Zoro. Le climat y a si bonne réputation que la colonie française est restée nombreuse. On boit le pastis, le soir, sur des terrasses, en regrettant l'époque heureuse (seuls les quinquagénaires et au-delà l'ont connue) où la capitale de la Mauricie-Orientale s'appelait encore Fort-Maurice. Nonobstant, Koto-Zoro n'est pas une ambassade prestigieuse. On y ensable de poussives carrières, on n'y mène que d'obscurs combats. Même les plus durs à cuire des coopérants renoncent bientôt à la moustache drue, à l'adultère, aux costumes de lin; ils retombent aux shorts, aux mollets poilus. Pour sa part, l'ambassadeur sous lequel j'ai servi, prodigieux buveur mais homme au caractère sombre, se flattait d'être parvenu, en quatre ans de diplomatie tour à tour onctueuse et musclée, à sauver des fureurs iconoclastes d'au moins deux coups d'Etat la statue équestre du commandant Léopold Maurice. Quand, il y a six mois, j'ai quitté Koto-Zoro, elle se dressait toujours au bout de l'ex-cours Jules-Ferry (esplanade de la Liberté), face à l'ex-résidence du Gouverneur (palais de l'Egalité). Blanchie aux frais de la République, elle est couverte de graffiti obscènes dès que les minorités zabouli et galiobé descendent dans la rue, pillent un bidonville et animent, en brûlant quelques autobus, les perspectives vides de la capitale, ses avenues à perte de vue poussiéreuses, orgueil autrefois d'un Prix de Rome d'architecture sombré dans le gigantisme colonial et le cognac-Perrier.

On s'ennuie tellement à Koto-Zoro que les épouses de diplomates, pourtant privées de tennis par les émeutes, préfèrent encore au train-train ordinaire ces journées fiévreuses où le destin bascule; elles donnent l'illusion de l'aventure, le temps qu'un ancien sergent de tirailleurs, travesti en colonel, fasse tirer quelques obus sur les jardins de la Résidence, et rebaptise « palais de la Fraternité » le Centre des congrès bâti par son prédécesseur et dont le marbre, déjà, se lézarde. Après quoi la vie reprend son cours : le ministre de Suisse vient de recevoir deux cents bouteilles de saint-saphorin, « Number one » a pris sa cuite de la semaine et Yolande-Paule a battu Herda six-quatre sept-cinq.

C'est à une chronique publiée dans *Cyrano* que je dus, en avril 1981, l'attention étonnée de *Travaillisme*, lequel journal me demanda un billet sur la présidentielle. Je n'ai jamais su faire court. Ce fut donc une vraie tartine et le lyrisme m'embarqua. J'eus l'air de brûler de passion pour le candidat socialiste. Au reste, ne brûlais-je pas, au moins un peu? J'avais avalé tant de couleuvres... Un renégat vaut dix fidèles : je fus invité à la première garden-party du 14 juillet, où le président me toucha la main. Après quoi de sémillants membres de cabinet me proposèrent de devenir conseiller culturel. Pourquoi pas? Je noircissais du papier depuis trente ans et la seule vue de ma machine à écrire levait en moi une nausée. On me fit miroiter Caracas, Ankara. Ce fut Koto-Zoro, et après six mois de tergiversations. Les bureaux traînaient les pieds. On ricanait, dans les couloirs du « département », comme j'allais apprendre à dire, aux dépens de cette fournée d'excellences au rabais sur lesquelles daubaient les petits journaux. Au Cyrano on ne m'appelait plus que « l'ambassadeur ». On me laissa entendre que la rédaction n'avait que faire d'un prosélyte socialiste. Une préretraite serait la solution la plus élégante, à condition que j'en prisse l'initiative. J'allai pleurer dans le gilet d'un conseiller du président (le seul qui portât des costumes trois-pièces), et la situation, comme il le murmurait, « se débloqua ». Je fus nommé, le décret parut au *Journal officiel* et j'arrivai à Koto-Zoro pour y tirer les rois.

Quel homme, le 6 janvier, vit-on descendre de l'avion? Le premier (et unique) conseiller était venu m'attendre, flanqué de son épouse qui portait des bermudas roses capables d'enflammer tout l'Islam de Mauricie. On avait eu beau m'avertir, je n'étais pas vêtu comme il fallait. J'apparus, en haut de l'escalier, ruisselant. A cet instant *je me vis* très distinctement, tel que me découvraient Joyaut et Madame : énorme, furieux, solitaire. Il me sembla même lire les paroles que formaient, à dix mètres de moi, les lèvres de Lolette Joyaut, tout en me souriant, et qu'elles glissaient de biais au premier conseiller : « Eh bien, nous sommes gâtés!... », ou quelque chose dans ce goût-là.

Longtemps, la taille m'a sauvé du poids. Je portais mon grand pif tout en haut d'une minceur que paraissait ne devoir jamais menacer l'embonpoint. Erreur. L'abondance des formes me vint par le ventre. Ou plutôt : le coffre, la panse, comme aux flics américains gorgés de bière. Ma corpulence, pour le reste, étant d'un maigre, les muscles flanchèrent et, vers le milieu de la cinquantaine, je me relâchai. Les bars du quartier de la Bourse ne furent pas étrangers à cette débâcle. Ma « surcharge pondérale », pour parler comme le petit toubib de Koto-Zoro qui nous assommait de sa pédanterie, prit l'aspect d'une ptôse abdominale, une sorte de grossesse contre nature que je me mis à pousser en avant, ensachée dans des vestons de plus en plus vastes. Bien utilisée, et pilotée par un caractère impérieux, cette masse peut impressionner. Ma silhouette – pour faire image – devint comparable à celle du général de Gaulle après son retour aux affaires, avec quelque chose d'altier, de narquois et d'empâté dans le profil, le cou, le menton. Louis XVI dut avoir cette tête-là, à en croire portraits et louis d'or, ou, moins royalement, le regretté Roland Barthes, à qui dit-on je ressemble. Certains me voient aussi l'allure d'un gros oiseau.

Les vingt secondes que dura ma descente de l'escalier, fusillé par le regard dur de Lolette Joyaut – boute-en-train de la petite société francophone, elle en était aussi l'âme bavarde et damnée –, je sus que mon séjour en Mauricie tournerait au fiasco. La main qu'on me tendit, dans cette fournaise ! était glacée. Je refusai de l'approcher de mes lèvres et la secouai à hauteur d'épaule comme font les Anglais empotés. Il y avait aussi une fillette que je n'avais pas encore remarquée. Tous ces yeux Joyaut me dévisageaient : j'étais précédé à Koto-Zoro par quelques échos ricaneurs du *Canard*, de *Minute* et même par un papier anonyme et compassé du *Cyrano*, dans lequel j'avais reconnu la patte d'un ami de dix années. Pour moi tout cela était enterré, mais, compte tenu des lenteurs de la « valise » ou du désordre de la poste mauricienne, on venait juste, là-bas, de déguster ce nectar. Quand je découvris, deux jours plus tard, à la Résidence où, d'une pierre deux coups, on tirait les rois et fêtait mon arrivée, ceux avec qui j'allais devoir vivre, j'observai les visages pendant que l'ambassadeur pérorait : bouches crispées, regards moqueurs. Pour les petits profs de la Coopération, j'étais un bourgeois qui en croque au râtelier socialiste; pour les survivants de la bonne vieille colonie, un traître, un rouge que l'âge avait pâli, une taupe qui pendant trente ans avait rongé les assises de l'Occident avec chacune de ses chroniques du *Cyrano*. Plus tard, une bonne âme m'offrit des échantillons des ragots qui coururent sur mon compte toute l'année 83. J'avais fréquenté autrefois « les écoles de cadres de Moscou », trafiqué mes notes de frais, publié sous le manteau des raretés pornographiques, fourni des gamines à deux ou trois récents ministres – les ballets « roses », en somme. Quant à l'ambassadeur, à soixante-trois ans et militant chiraquien, il n'avait plus rien à perdre. Le vouvray aidant, il improvisa avec verve sur le thème de l'évolution des mœurs, des recrutements, des opinions. On l'applaudit comme on m'aurait giflé : les gestes se ressemblent. J'eus droit ensuite, un verre à la main, à la plaisanterie éculée sur les divers moyens d'entrer dans la Carrière : le grand concours, le petit, ou le concours de circonstances... Ah, l'esprit français pétillait à Koto-Zoro!

La coccinelle, après avoir traversé des banlieues, des champs, roulé sur une autoroute vide, descend maintenant en longues courbes vers la vallée de la Vltava. J'essaie de reconnaître des morceaux de paysage, en vain, dans la brume que les lampadaires jaunissent. Ma mission? Inutile d'en parler à mon compagnon qui ne veut pas empiéter sur les prérogatives de son « patron ».

– Vous verrez mon patron dès demain. Ce soir il vous prie de l'excuser, une corvée à l'ambassade...

Dès le lendemain, en effet, et trois jours durant,

les rendez-vous se succèdent, avec des professeurs de l'université Charles, des éditeurs, un vice-ministre, un autre. L'ambassadeur m'a offert dans son bureau un verre de porto. Il tente de modérer mon zèle : je tarabuste mes interlocuteurs, argumente, insiste avec une rage de réussir qu'aucune léthargie administrative ne semble avoir tempérée. « Tenez compte des pesanteurs, mon cher! » Entendez : « D'où sort-il? » Les rêveuses années d'Afrique n'ont pas fait de moi un fonctionnaire.

M'a-t-on offert ce cadeau empoisonné, au ministère, pour que j'y démontre mon incompétence? A Koto-Zoro, je n'ai pas *cartonné*, comme doivent dire les petits génies de la rue La Pérouse. Prague n'est pas une occasion de me racheter, mais un piège, où m'achever. L'ambassadeur (fils d'ambassadeur, gendre d'un ministre de Giscard) me contemple avec une bénignité infinie. Il me pose des questions sur Thorez, les années quarante, la presse – « votre itinéraire est passionnant » – comme si j'avais vécu cent ans. Il est, c'est vrai, mon cadet. « Ah, mon cher, nous avons bien droit à un peu de repos... » Est-ce ainsi que l'on ouvre la trappe sous les pieds des indésirables? Il rédigera ce soir « une note » sur mon séjour. Encore un doigt de porto. « Nous pouvons considérer que la phase exploratoire de votre mission s'est déroulée au mieux. Maintenant, ne passionnons pas le débat, laissons une commission bipartite essayer, dans quelques mois, de trouver une solution. N'oublions pas que nous sommes demandeurs... Peut-être pourrons-nous aller un peu plus loin. Pourquoi pas une librairie à Brno, où sont leurs meilleurs romanistes, et même à Bratislava?... Avez-vous eu le temps de faire un peu de tourisme? On m'a dit que vous connaissiez déjà le pays?... »

Les services culturels m'ont fait rencontrer un certain Beaujolat, que cornaque avec gourmandise le conseiller commercial. On dirait qu'il suce un berlingot : « *Monsieur est tour operator* (accent parfait), race encore rare à l'Est, n'est-ce pas ? » Si j'ai bien compris, Beaujolat est mandaté par des chasseurs au gros de Paris qui rêvent d'exploits dans les Carpates. Avec le CEDOK, l'organisme du tourisme tchèque, l'affaire est presque conclue. Beaujolat en est à son second voyage. Il part visiter les terrains et les chalets de chasse, en voiture, avec un chauffeur : pourquoi ne l'accompagnerais-je pas ?

Depuis qu'au palais Buquoy l'ambassadeur a fait allusion à ma prétendue connaissance du pays et à l'espoir d'ouvrir un jour des librairies françaises en Moravie et en Slovaquie, une envie encore incertaine s'est levée en moi avec le prétexte pour la satisfaire. J'ai toujours fui les occasions de ranimer ou de vérifier des souvenirs. J'aime partir vite, et sans idée de retour. Je comprends mal qu'on veuille revoir les maisons vendues, les villes quittées : on a en général de si bonnes raisons de les avoir abandonnées ! Mais, dans Prague où j'avais tant déambulé, la puissance de mon oubli m'a inquiété. Seules quelques ruelles de Malá Strana, et bien sûr la cour du Hradcany et le pont Charles, excitent un peu ma mémoire. Encore s'agit-il peut-être du souvenir de souvenirs, de photos au fond d'un tiroir, de ces impressions de déjà-vu que suscitent les publicités, les images d'un film. Toujours est-il que depuis deux jours je provoque et force ma mémoire, je cherche en elle des noms, des lieux, des visages que je ne savais même pas avoir oubliés, et que je ne suis pas sûr de réussir à tirer du néant où trente-neuf années les ont enfoncés. L'exercice me trouble. Je découvre que la mémoire est un métier. On ne la fouille pas à l'aventure. Il y a en moi un trou à la place de mes vingt ans. Quelle bataille doivent mener ceux qui font profession de ranimer les braises! Ou à quel tour de passe-passe se livrent-ils? Je croyais que les souvenirs affleurent, intacts, colorés, fidèles, prêts à abonder à la première sollicitation, et que seules notre indifférence, notre hâte à vivre les laissent provisoirement inexploités. Il n'en est donc rien. On ne porte en soi que du vague, des lambeaux d'odeurs, des paysages à l'échelle incertaine, des visages qui ne paraissent encore vivants qu'à la condition de ne pas exiger de soi trop de précision ni de certitudes. Nous ne reconnaîtrions pas les protagonistes de notre passé si nous les croisions dans la rue. Non pas qu'ils aient tellement changé, mais parce que nous ne savons plus rien de ce qu'ils furent, ni le son de leur voix, ni le rythme de leurs gestes, rien de ce que nous aimions ou détestions en eux. Un seul nom, Bratislava, me semble ruisseler encore d'images. Elles ont résisté à l'estompage des années anciennes, au grand effacement dont je découvre avec stupeur les effets. Coquille vide. Et puis, la verve de Beaujolat me plaît, son bagout de vendeur de vent. J'ai gratté un peu, il n'est que le propriétaire d'une agence de voyages de l'avenue Félix-Faure. Ses « négociations » : de l'épate, probablement. Où ai-je vécu, toutes ces années, pour ne pas savoir que mes compatriotes se nourrissent de chimères? Faux rouletabilles du *Cyrano*, faux révolutionnaires de la gauche, faux diplomates des ambassades, faux coloniaux de Mauricie – et moi? De quand date ma première comédie?

Nous avons quitté Strebské Pleso sous les premiers flocons de neige. Déjà, les images récentes recouvrent les anciennes et je ne sais plus si cet hôtel en forme de triangle, singeant les chalets suisses, a ou non remplacé, au bord du lac, celui aux balcons de bois ouvragé, aux craquements nocturnes, aux odeurs de boîte à cigares où la petite Zita s'était prise de fou rire parce que, dans sa hâte à me déshabiller, elle avait fait claquer ma ceinture dans sa boucle, comme un fouet. Peut-être cet accès de gaieté lui avait-il épargné l'ultime sacrifice. En fait de prouesse, Zita, cette nuit-là, ne m'avait autorisé (ou révélé) que celles-là qui laisse-raient intacte sa réputation. C'était assez la mode, alors. Nous ne traitions même pas nos petites compagnes de garces ni d'allumeuses, émerveillés déjà de leur avoir arraché des complaisances que nous ne voyions pas qu'elles-mêmes nous avaient suggérées.

Alors que nous avions escaladé les Tatras avant-hier dans une rousseur lumineuse et fragile qui évoquait le Canada vers la fin de l'été indien, nous nous sommes éveillés ce matin avec l'hiver sur nos têtes. Juraj, notre chauffeur, a pesté. Il aurait préféré ramener Beaujolat à Prague plutôt que de m'accompagner deux jours en Slovaquie, pour une poignée de dollars, à baragouiner pour moi un mauvais allemand que je comprends mal. Mais Beaujolat semble avoir en deux jours bouclé son affaire; les nemrods de l'avenue Félix-Faure massa-creront les chevreuils socialistes. C'est lui qui m'of-fre ces deux journées de vacances : il m'a laissé la Skoda et son chauffeur, à charge pour moi de nourrir Juraj.

La route devenant périlleuse et le temps se bouchant, j'ai renoncé aux Carpates, qui prenaient le fâcheux aspect des Vosges sous le brouillard, pour gagner Bratislava. Nous avons donc em-prunté la route la plus directe, malgré quoi la voiture s'est mise deux fois en travers de la chaussée. A Trnava, nous avons retrouvé du goudron sec – les flocons tournoyaient sans paraître jamais se poser – et pris le temps de boire une bière. Un peu avant midi nous sommes arrivés aux faubourgs de Bratislava.

C'était une ville d'été, pour moi, Bratislava, faite pour les robes légères, les lentes déambulations du soir. Zita, autrefois, avec ses airs de bourgeoise, ses mots pointus, son art de bouger tous ses cheveux d'un seul bref mouvement du menton, m'y avait offert mes vingt ans. Ce n'est pas une façon poétique de parler : ils avaient vraiment fêté ici mon anniversaire. j'avais eu un moment l'illusion d'être un autre, non pas semblable à Zita, ni comparable à elle, mais enfin un garçon acceptable, « potable », disions-nous, et non plus Tranche-Montagne, non plus le jeune homme à gros pif de la rue de Maubeuge que la vie, ces années-là, malmenait. L'illusion, mais elle brille encore dans ma mémoire.

Ma mémoire ? Parlons-en. Tandis que nous traversons des alignements d'immeubles semblables à ceux de tous les purgatoires suburbains – et je me raidis pour ne pas me laisser gagner par une consternation trop banale –, je me demande comment j'étais arrivé ici à la fin d'un été de ma jeunesse. En autocar ? Par chemin de fer ? Aucune image de ce voyage ne surgit du passé, aucune image sûre, alors que des traits de plusieurs de mes compagnons, à défaut de leurs noms, rident la surface de l'oubli. Et d'où venions-nous ? Prague ou Vienne ? Ou des Tatras, comme aujourd'hui, puisque je me rappelle Strebské Pleso et la chambre aux craquements indiscrets. Sans doute avions-nous pris le train. En ce temps-là les étudiants ne voyageaient guère autrement. Mais alors où se sont évanouis les rires, les conciliabules, les intrigues que nouent forcément vingt garçons et filles dans l'intimité des compartiments, la complicité de l'ombre ?

Juraj m'observe.

– La ville a beaucoup changé ?

– C'était l'été...

– De quelle année ?

– L'été 1947.

Il éclate de rire :

– Je n'étais pas né !

Avais-je repéré Zita dès le départ ? A la gare de l'Est, peut-être, sur le quai, dans ce moment où l'on se regroupe autour d'un garçon qui porte une pancarte, et déjà l'apparition de chacun, sa façon de se présenter, son bagage, en apprennent long sur lui et sur le rôle qu'il tiendra dans la comédie du voyage. Je n'ai pas besoin de me rappeler mon embarras pour l'imaginer. Comme j'étais mal dans ma peau ! Zita était sans doute arrivée avec sa sœur, dont je ne sais plus le nom, qui avait des yeux faciles, de ces fortes lèvres qui inspirent aux potaches des obscénités. J'ai toujours pensé que Zita devait beaucoup de son plaisir à cette présence, et au sentiment de perdition qu'elle éprouvait, elle si sage, à s'encanailler sous les yeux d'une cadette plus délurée qu'elle, et rieuse. Mais ne se trompait-on pas sur Zita ? Je me sentis bientôt tout glorieux d'avoir percé, moi seul, son secret. Je ne savais pas encore que presque toutes les femmes en portent en elles un semblable, qu'elles brûlent de divulguer.

La voiture roule maintenant dans le centre de la ville. Quelques façades baroques, à l'ocre délavée par l'hiver, surgissent entre d'autres, massives, pompeuses, que strient les fils électriques sous lesquels ferraillent les trolleybus rouge et blanc. Partout des piétons se hâtent, vêtus d'anoraks ou d'informes manteaux molletonnés, courbés sous le vent froid, même les groupes, ces éternels groupes de l'Europe socialiste, quinquagénaires des deux sexes, casquettes, bottes paysannes, fichus, qui marchent dans le vol des feuilles mortes, têtes baissées, sans lever les yeux, dirait-on, sur la ville qu'ils parcourent comme une steppe.

J'avais oublié, sur sa colline, la silhouette du château. Une table renversée, quatre pieds en l'air. Et ce pylône incliné, ces faisceaux de câbles ? Un gigantesque pont suspendu a été jeté sur le Danube. « *Brücke ! Neue Brücke !* » me dit Juraj en écrasant de l'index le plan de la ville déployé sur mes genoux. J'essaie de m'orienter. Je cherche à accrocher mes souvenirs à un détail, à une fantaisie d'architecture, mais rien ne prend forme. Je me souvenais de rues capricieuses, de maisons anciennes, de violons tziganes, et je ne vois qu'une de ces villes composites, jaune et grise, comme la monarchie austro-hongroise en a laissé dans tout le cœur de l'Europe. « Des pays d'avant la guerre de 14 », nous répétait Lépine – son nom vient de me sauter à la mémoire –, le responsable de notre troupe. Il s'était mis en tête de parfaire mes connaissances. Il ne pouvait pas deviner avec quelle rage j'avais lu, avant le départ, les rares livres sur lesquels on pouvait à l'époque mettre la main. François-Joseph, Benès, Masaryk : j'en savais davantage que la plupart des bruyants garçons que j'accompagnais, plus « étudiants » que moi, pourtant ! Quant aux filles... J'avais vite fui Lépine pour attacher mes pas à Zita. « Méfie-toi, me disait-il, renfrogné. Elle est flirt, snob, ça se voit tout de suite. Elle te fera marcher... » Mais je ne demandais qu'à marcher ! Pendant les vingt jours de notre voyage je n'avais pas écrit une seule fois à mon père. Je ne touchais plus terre.

– L'hôtel Kyjev est plein, m'a dit Juraj, le Bratislava aussi. Des congrès. (Je ne comprenais pas le mot qu'il employait : congrès ? séminaires ?) Nous allons à l'hôtel Devin...

Il me glisse l'information comme on annonce un deuil. Le Kyjev, c'est là que Beaujolat logera ses chasseurs avant de les transporter à Strebské Pleso, puis aux chalets de chasse. Nous sommes passés devant, il avait belle allure. Tant pis.

Ce matin, après m'être battu avec la plomberie, les volets et les prises électriques de l'hôtel Devin, je descends dans le hall où m'attend une surprise. Sous le casier à journaux (*L'Equipe* et *L'Humanité* représentent la presse parisienne), Juraj boit un café, flanqué d'un long jeune homme. Un étudiant prêt à me guider dans la ville. Il parle un français savant et rocailleux. « Vous parlez mieux que moi », lui dis-je. Il me regarde, incertain. Je lui expose mes désarrois.

– Je me rappelle des façades dorées, dis-je, au crépi écaillé, un immense café de plein air, une synagogue...

– La synagogue a été détruite, et tout le quartier autour d'elle, quand on a construit le pont de l'Insurrection... Venez voir.

Nous sortons. D'un côté de l'hôtel se dresse une façade aux surplombs audacieux, peints d'orange et de blanc; on dirait d'une préfecture de la banlieue parisienne bâtie vers 1960; de l'autre s'étend un vaste espace minéral, au bord du fleuve, où l'énorme pont déverse son trafic. L'étudiant désigne, d'un geste neutre, ce vide. Je l'interroge :

– Vous vous souvenez du vieux quartier qui s'étendait ici?

Le garçon semble confus.

– On a terminé le pont il y a douze ans. Avant, j'étais très jeune... Mais je connais bien la ville !

– Alors, aidez-moi. Je voudrais retrouver un lieu où j'ai des souvenirs. On y venait goûter, ou le soir boire du vin, l'été, en écoutant de la musique. C'était une très grande cour carrée, entourée sur ses quatre côtés de galeries couvertes, sur plusieurs étages. Au centre, face à l'entrée, il me semble revoir un pavillon baroque devant lequel était dressée l'estrade où jouait l'orchestre. Cela ressemblait à un caravansérail, si vous voulez, avec des arcades superposées, cet espace fermé... Où est-ce ?

L'étudiant lève les sourcils. Il semble s'appliquer autant à mimer l'ignorance qu'à parler le français.

– Je ne vois pas... qu'est-ce que « caravansérail » ?

On pose des questions à la directrice de l'hôtel, à des chauffeurs. « N'interrogez pas des gens de vingt ans ! » dis-je, un peu plus sèchement qu'il n'aurait fallu.

En trente-six heures je décrivis ma guinguette, ma brasserie – comment nommer ce que je cherchais ? – une bonne dizaine de fois. Personne n'avait le moindre souvenir d'un lieu ressemblant au mien. Mon romaniste devait avoir, entre-temps, consulté ses dictionnaires : « Votre *bastringue* a sûrement été démoli », me dit-il. Je me butais. On me traîna au Palais primatial, au palais Mirbach, et admirer la célèbre statue de Donner, un saint Martin déchirant son manteau qui ressemblait, avec son colback et son cheval cabré, à un housard de la Grande Armée. On crut même ranimer mon intérêt, puisque j'étais venu, croyait-on, négocier des parties de chasse, en me menant à la tour Michalská où sont exposées des armes. Un gardien hors d'âge les contemplait mélancoliquement. Lui devait savoir. Pendant les explications, il se détournait et me regardait de ses yeux de chien aveugle. Il hocha la tête et adressa un sourire de commisération au jeune homme. « *Na Dibrovovo namestie*, dit-il, *Gasthaus Velki, frantiskani...* »

Le romaniste s'éclaira : « La cave des Franciscains, bien sûr, et la cour ! Comment n'y avais-je pas pensé... »

Pendant que nous nous hâtions vers Dibrovovo namestie, le cœur me battait. Comment, dix jours plus tôt, aurais-je pu deviner que pesait à ce point dans ma mémoire, d'un poids en quelque sorte négatif, le souvenir de quelques heures d'autrefois, passées à écouter des violons, à manger des sorbets, à regarder les épaules brunies des femmes. Je me rappelais les femmes, je me rappelais les sorbets. Je me rappelais le soleil et la nuit. Et comment une ovation avait salué mes vingt ans, parce que Zita avait glissé à l'oreille de Lépine la date de mon anniversaire. J'aimais le vin blanc en ce temps-là. Je n'osais pas trop boire, peur d'abaisser ma garde, de me livrer. A quoi ? Aux jugements de vingt gamins qu'en les enviant, je détestais ? Aux regards vigilants de Zita ? Ce soir-là, alors qu'autour de nous, dans l'ombre pleine de musique, on se tournait amicalement vers les petits Français, je m'étais senti accepté. Au terme de trois années d'efforts, de secrètes batailles, j'avais arraché ma place au festin, comme à cette table, dans la lumière dansante des ampoules jaunes, quand vingt verres se levèrent vers moi, moi, Tranche-Montagne, le gros lard de la rue de Maubeuge, le fils d'Aimé Genton, « Genton-comme-Argenton-dans-la-Creuse », le fils du comptable de la rue des

Petits-Champs à qui Zita venait de prendre la main, aux yeux de tous, avec son audace gaie.

Nous approchons de la place Dibrovovo et je sais qu'une fois de plus mes guides se trompent. Jamais mon grand souvenir n'aurait pu tenir dans ce quartier aux maisons exiguës – des maisons que je crois pourtant reconnaître. Les ai-je vues ce matin, hier? Le ciel s'est nettoyé, le froid devient vif.

Le crépuscule qui tombe ne parvient pas à agrandir la cour du cloître des Franciscains. Une galerie et quelques arcades la surplombent, en effet, qui ont abusé le gardien du musée des armes. Mais on se sent ici comme au fond d'un puits, entouré de hauts murs, de fenêtres closes. « *Zu Klein*, dis-je, *viel zu klein...* », oubliant que mon guide parle français mieux que moi l'allemand. Il s'assied sur une borne en feignant un grand et théâtral découragement, que j'apaise en le conviant à boire un peu de vodka dans la cave des Franciscains. Une rumeur chaude monte d'un escalier, et la fameuse odeur de fumée, de choux et de sueur, dans laquelle je plonge, impatient de vider un petit carafon d'alcool et d'oublier mes ombres.

. . . .

Au vrai, Zita n'avait pas tenu grande place dans ma jeunesse. Nous nous étions écartés l'un de l'autre, peu après notre retour à Paris, dès qu'elle s'était trouvée plus offusquée que flattée par mon état d'étudiant-qui-travaille, de scribouillard au service de ces étudiants parmi lesquels je m'étais faufilé presque frauduleusement. Un garçon pauvre, un garçon qui « gagne sa vie », loin de chez elle, quelle gloire! Quelle exotique exploration! Mais revenue à Paris... Ses grandes audaces nocturnes des Tatras s'étaient vite refroidies. Elle était redevenue, une fois réintégrée sa cage de l'avenue Charles-Floquet, la sainte nitouche un peu folle qu'elles étaient toutes en ce temps-là, une main impitoyable finissant toujours par écarter les sollicitations trop pressantes. Mais avait-elle pu effacer les souvenirs de Prague, de Vienne, de Bratislava, dont la saveur de revanche et de fête lui devait presque tout ?

Ni Juraj, ni l'étudiant ne me tinrent compagnie ce soir-là. Nous avions croisé sur la place du Palais primatial deux Autrichiennes à la dérive qu'il me parut généreux de les inciter à rejoindre. Je me retrouvai donc seul dans la salle à manger de l'hôtel Devin, qui tenait du buffet de gare suisse et du restaurant universitaire. Vers la fin de mon dîner, la longue attente qui l'avait précédé, la chaleur, le tintamarre des voix, toute la vodka bue depuis la cave des Franciscains excitèrent l'incertitude où je flottais. J'aperçus dans un miroir, entre des capucines artificielles, ma silhouette, mon visage : ce bahut large et haut, ces traits abondants où le nez se relevait du bout, en tremplin (j'en avais vu un de même sorte sur les portraits de Roger Martin du Gard), on pouvait sans doute prévoir en 1947 qu'ils donneraient un jour son allure massive et lunaire à ma maturité. « Maturité » ? Quel mot délicat. Quelques médiocres photos me restaient de cette année 1947, du séjour à Bratislava en particulier, retrouvées avant mon départ. On m'y voyait serré de partout, cravaté, vestonné, comme jamais plus ne s'affublerait un garçon d'aujourd'hui. Ah, les leçons de Mme Genton avaient porté leurs fruits ! Sur tous les clichés je paraissais occuper plus de volume que mes compagnons. Je cachais mes mains dans mes poches ou les posais, invisibles, sur des épaules. Un an plus tard, adieu les cravates! j'allais me donner une allure de prolo mieux adaptée à mon personnage – allure aujourd'hui tout aussi lointaine, étrangère, inexplicable, ma vie me paraissant composée d'une superposition de personnages successifs et fanto-matiques. Mais au mois de septembre 1941 j'en étais encore à faire le beau pour être agréé par les demoiselles de l'avenue Charles-Floquet et autres hauts lieux du mystère.

J'avais commandé, d'un geste, un dernier flacon de vodka. Il faut être un peu ivre pour mettre, à se remémorer le néant, cette rage de sauve-qui-peut dont j'étais animé. Zita, par exemple, quand, com-ment avions-nous rompu? Pas trace, en moi, de la fin d'un épisode auquel la solitude de ma jeunesse et l'ascendant que la jeune fille exerçait sur ma nigauderie avaient dû conférer de l'importance. Je me rappelais son prénom, ce prénom impérial qui avait amusé les Viennois, oui, et son adresse, peut-être même, vaguement, son visage, mais son nom de famille s'était envolé. Aucun souvenir non plus d'un salon solennel, d'une chambre à la porte fermée à clé, d'une certaine façon de se vêtir, ne venait nourrir cette rêvasserie où la misérable cour du cloître et l'alcool m'avaient plongé. Je compre-nais enfin que notre séparation, ou plutôt le congé que Zita m'avait signifié (l'amertume en fermentait en moi depuis trente-neuf années), n'avait pas été pour rien, quelques mois plus tard, dans mes soudaines colères, mes indignations, mon adhésion au Parti. J'avais été renvoyé moins par la petite Zita que par la bourgeoise, en elle, lassée de se commettre avec ce piteux compagnon et d'essuyer les moqueries de ses parents. Comme elle avait dû regretter ses inconvenances de Strebské Pleso! Sans doute, si j'avais eu l'outrecuidance de les lui rappeler, me serais-je rendu compte qu'elle les avait oubliées, qu'elle ne les avait jamais osées, que tout ce bonheur volé n'avait existé que dans mes songes. Je devinais quel retournement s'était opéré en elle, et ce retournement, parce que je lui attribuais de piètres motifs, me faisait horreur. Il me fallait faire table rase des constructions imaginaires dont je m'étais, cet automne et cet hiver-là, monté la tête. Il fallait me venger, et entraîner dans ma vengeance non seulement les évidents complices de Zita, les élégants promeneurs du Champ-de-Mars que je croisais après l'avoir quittée, les étudiants qui m'écrasaient de leur aisance au guichet du cœur et sur les bancs de la faculté, mais tous ces inconnus qui, une fois ou l'autre, m'avaient paru avoir partie liée avec ce que je n'aimais pas en Zita. Ces deux Tchèques, par exemple, qui nous avaient abordés au Hradcany, attirés, disaient-ils, par l'envie de parler français, appâtés plutôt par les filles, ou par les dollars que nous étions censés détenir. Dès l'abord, avec leurs manières lymphatiques et leurs phrases anglaises, ils s'étaient merveilleusement entendus avec Zita et sa sœur. Elles avaient l'air de retrouver de la famille. « C'est bien la même engeance, tout ça », grommelait Lépine. Je n'avais pas osé le rabrouer. Un des deux garçons – presque un homme, crime inexpiable ! – nous avait suivis jusqu'en Slovaquie, et voilà soudain que je le revoyais, avec son complet brun aux plis fatigués, sa voix traînante, son langage de tennis et de salon, assis non loin de Zita à notre table du « bastringue » détruit, et qui la regardait.

Je ne fus pas mécontent, l'année suivante, quand éclata le « coup de Prague ». Alors que toute la France se lamentait hypocritement sur la démocratie étranglée (comme si elle ne l'avait pas laissée crever une fois, déjà, la pauvre démocratie tchèque...), je m'étais réjoui en pensant au complet marron, aux baisemains viennois, et au ménage que font les révolutions dans les sociétés fatiguées.

J'étais entré, on le voit, dans la divine simplicité de mon temps.

. . . .

Ce matin, quand je sors de l'hôtel, le ciel est épais de neige. Flocons, effilochures de brume sur le fleuve. Juraj est penché sur le moteur de la voiture, perplexe et important. Je le vois souffler dans le gicleur du carburateur comme il me semble qu'on ne fait plus, « à l'Ouest », depuis des années. « *Moment, Moment!* » me jette-t-il quand je m'approche. Je fais demi-tour.

Je n'avais pas eu encore la curiosité de contourner le bâtiment futuriste de la Slovenska Galéria pour explorer le quai du Danube que le vent prend en enfilade. Je m'y risque : un parapet aux barres de fer, les pelouses jonchées de feuilles pourries et bordées de pierres, tout illustre un ordre triste que je n'aime pas. La promenade, à cette heure, est si déserte que la présence de trois étrangers me saute aux yeux. « Etrangers », parce que la voiture, une Mercedes dont le moteur tourne – l'échappement dégage une fumée bleue –, ne porte pas de plaques tchèques. Deux jeunes femmes et un homme. Costaud, l'homme, un peu à ma façon, mais beaucoup plus jeune que moi. Quelques pas en arrière, comme ennuyé, il paraît suivre ses compagnes, ou les surveiller. Ses compagnes dont la tenue me frappe : l'une, la blonde, est enveloppée d'une cape de loden à capuchon, comme un voyageur britannique de la fin de l'autre siècle. Elle marche lentement – j'ai envie de dire : somptueusement, ainsi qu'on apprend à le faire aux mannequins et aux reines. Elle a posé une main sur l'épaule de l'autre femme, qui me paraît moins jeune, moins éclatante, vêtue, elle, de cette façon coûteuse et banale à quoi se reconnaît, à travers le monde, une bourgeoise française. Tout cela à dix heures du matin au fond d'un pays socialiste, avec le brouillard sur le Danube, le fracas des camions qui roulent le long du quai, dans cette ville vouée aux anoraks de nylon, est irréel.

Le trio s'arrête. Les deux jeunes femmes parlent entre elles : buée, rires. La blonde contemple les bancs de brume ou peut-être, là-bas, là-haut, le pylône auquel sont suspendus les câbles du pont; au sommet a été installé un restaurant « panorami-que »; encore heureux que Juraj ne m'y ait pas mené. Etrange que la femme à la cape verte paraisse s'intéresser à ce paysage vide, à cette ouate glissante où s'étouffent les bruits. Sa main est toujours posée sur l'épaule de sa compagne. Non pas l'épaule la plus éloignée d'elle, dans ce geste d'affection ou de protection qui sert parfois de mise en scène aux confidences, mais sur la plus proche, coude serré, comme on retient un suspect ou comme on guide un vieillard.

Je me suis arrêté, moi aussi, non loin d'elles. La femme au loden est belle, d'une beauté hautaine, comme d'une célébrité, ou de quelqu'un qui res-semblerait à une célébrité, ou mieux encore d'une convalescente qui vient de voir la mort de trop près. Elle tourne la tête. De là où je suis je peux suivre son regard, qui s'immobilise pendant qu'elle respire l'air humide, puis reprend son mouvement vers l'énorme bâtiment de la Galerie slovaque qui dresse tout son béton derrière nous. Alors je vois, dans l'évidement qui creuse la façade sur toute sa longueur – cet oubli du rez-de-chaussée a dû passer pour une grande audace architecturale – je vois apparaître trois étages d'arcades entourant une vaste cour, et au fond, juste en face de nous, le pavillon rococo à la fenêtre et au balcon ouvragés, devant lequel, autrefois, sur une estrade enjolivée de lampions, jouaient les musiciens dans la nuit tiède. Tout est simple et clair : on a abattu le quatrième côté du carré, le bâtiment qui longeait le Danube (et me frappe soudain le parfum d'eau qui montait du fleuve pendant que j'embrassais Zita, entraînée par la main loin des autres et du bruit), et l'on a construit à sa place cette aile, ce pont juché sur quelques pilotis, entre lesquels je contemple la pelouse rase et terreuse, les allées à angle droit, les lourdes statues érigées comme au hasard et qui sont, j'imagine, des allégories de la patrie slovaque, du travail, de l'espérance démocratique. Tout est clair, tout est simple et tout est là : massive, implacable, l'image occupe toute ma mémoire, en déborde, en chasse les fragiles réminiscences, si longtemps caressées, qui déjà se dispersent pour faire place à l'arrogante réalité. Je traverse en somnambule la chaussée où freinent les camions et m'injurient les chauffeurs. Je bute sur une pierre, glisse sur le givre qui a blanchi l'herbe, me faufile entre deux buissons et vais saisir à pleines mains la grille du musée. Inaccessible, la cour où riaient les femmes, où bougeaient les guirlandes d'ampoules jaunes, où les regards se tournaient vers moi, où Zita avait laissé mes doigts serrer les siens, inaccessible et monumentale, à jamais interdite, à jamais oubliée, la cour de l'ancien « bastringue », méconnaissable, écrase mon passé. C'est d'elle, désormais, que je me souviendrai, d'elle seule, et mes vingt ans meurent une seconde fois dans le froid de novembre où vole la neige.

Sur la contre-allée roule au ralenti la Mercedes

noire qui s'éloigne. Assise de mon côté, la femme au loden est passée à deux pas de moi, visage grave, les yeux indifférents. Elle n'a pas eu un regard pour ce monsieur respectable, qu'elle a pourtant vu risquer sa peau à zigzaguer entre les trolleybus et les poids lourds, pour ensuite demeurer là, devant la grille d'un musée fermé, planté dans la pelouse sale, les yeux pleins de larmes comme il arrive souvent quand le froid est vif.

PEURS

On prétend que l'âge, en contrepartie de ce qu'il prend, donne certaine paix. Mensonge, et l'un des plus difficiles à débusquer. Jamais je n'ai marché aussi loin de mes pas.

A tout perdre, qu'ai-je gagné? Un peu plus de sécurité devant une question, une moquerie, une querelle. Et encore! C'est la notabilité et ce qu'elle suppose, dans les usages, de courtoise indifférence, qui forment entre les autres et moi comme un bourrelet. Pour le reste, jamais eu aussi peu d'appétit de vivre. Me mettre nu au lit, me mettre nu au livre, écouter passer les anges, affronter de nouveaux visages, ouvrir une lettre, un journal : l'ennemie me guette, narquoise, et je tends le cou à ses couteaux.

Ecrivains vieillissants, avec leurs baises comme avec leurs tirages : en rajoutant toujours un peu.

PROGRAMMES ET BILANS

De quand date mon premier *programme*? Souvenirs flous. De mes douze ou treize ans, à peu près, époque où j'ai commencé à vivre. Et justement il me semblait ne jamais vivre assez. Les programmes se composaient de résolutions, de promesses que je me faisais à moi-même, d'une liste de buts à atteindre avec, indiqué précisément, le délai que je me fixais pour les atteindre. Il s'agissait parfois de devenir *bon* dans une matière scolaire où je flanchais, de lire tel et tel livres que leur austérité rendait intimidants, ou d'arracher le jeudi suivant, au cinéma, un baiser à une petite fille, ou de boucler les vingt ou trente pages de l'*essai* que j'avais entrepris d'écrire, consacré, selon la saison, à l'idéal militaire (la France venait de se faire piler), à l'espagnolade chez Montherlant ou au tragique élégiaque chez Racine. Je n'invente pas : ce sont là des souvenirs. Je les note pour donner de la cohérence à mes répugnances d'aujourd'hui : entre mes douze et mes seize ans, il m'est arrivé d'attaquer des poèmes, des tragédies, des sujets fort abstraits, mais jamais la moindre amorce de roman.

Un programme devait être bref, intense, rédigé lisiblement, chacun de ses engagements formulé avec une noblesse lapidaire, et le tout, gardé secret. Je ne sais plus où je dissimulais des documents de cette importance. Le tiroir central du bureau faux Louis XVI hérité de mon père, derrière lequel j'avais l'air d'un précoce notaire de banlieue, contenait le bric-à-brac de ma vie intime, jusqu'à un miroir rond, dessous de vase dans le style de 1935 où triomphèrent les coiffeuses en glaces, sur lequel je me penchais entre deux problèmes ou dissertations, scrutant mon visage, y cherchant un signe impatiemment attendu de vieillissement, un poil de barbe, une ride intéressante, une profondeur inespérée de l'œil, en même temps que je traquais les points noirs qui me déshonoraient la truffe.

Ce tiroir, donc, si commode car il s'ouvrait et se refermait en une seconde et permettait de déjouer les feutrées et soudaines curiosités maternelles, je doute qu'il me parût convenir à la conservation des programmes. Je les glissais plus probablement entre les pages de livres où j'étais sûr que ni ma mère ni ma sœur ne viendraient les découvrir : Gide, Barrès (mes inséparables frères ennemis), Psichari. Ainsi restions-nous à l'altitude convenable.

Il arrivait qu'un nouveau programme obligeât à déchirer l'ancien. De même qu'aucune résolution ne prenait force exécutive et entraînante avant d'avoir été exprimée par écrit, certaines bousculaient les fièvres et exaltations précédentes, les rendaient caduques ou les contredisaient au point qu'il fallait en détruire toute trace. Telle petite fille convoitée tombait à la trappe. Le ferme propos faisait place à la noirceur d'âme. La poésie lyrique était jetée aux orties.

J'éprouvais très fort le sentiment que ces programmes, même s'ils me corsetaient le caractère et donnaient de la pente à l'avenir, bénéficiaient dans leur discrétion, leur quasi-clandestinité, de trop de prudence. Prises sans témoins, les résolutions obligent moins. Je n'eus la sensation de me découvrir, de me hasarder, que du jour où j'eus révélé mes ambitions : mes copains les surent, puis leurs sœurs, puis leurs cousines, et vers quinze ans je me retrouvai au pied du mur. Serais-je peintre ? écrivain ? Je ne le savais pas au juste, mais je comprenais délicieusement que plus aucune vie *ordinaire* ne me serait pardonnée. (J'appelais « vie ordinaire » toutes les niches, tous les paddocks.) A partir de quoi la rédaction subreptice, presque honteuse, de mes desseins, ne s'imposait plus. J'avais en quelque sorte publié mes fiançailles avec la gloire. Restait à conquérir la belle et à lui être fidèle. De quoi aurais-je l'air si elle se dérobait à moi, si je ne parvenais pas à lui faire deux ou trois bambins ? Quand, en 1949, à vingt-deux ans, je me mariai, il me sembla prendre moins l'engagement d'être un bon époux que celui, devant elle qui serait mon témoin autant que ma compagne, de devenir l'homme que je m'étais juré d'être. Un risque, oui, enfin ! « Je n'ai que l'idée que je me fais de moi pour me soutenir sur les mers du néant[1]. »Nourri de cette somptueuse citation, je m'étais enfin jeté, sinon à l'eau, au moins dans le frêle esquif de mes ambitions. Saurais-je naviguer ? Ou le trompeur océan me tirerait-il par les pieds vers le néant qui me faisait horreur ? Au reste, n'était-ce pas désormais à l'idée que *les autres* se feraient de moi que je venais de confier mon salut ?

Parce que le chemin est malaisé, on croit qu'il nous destine à escalader les sommets, et à y vivre. On découvre vite que la ligne de crête est périlleuse

1. Henry de Montherlant.

et redégringole vers les fonds. On croit avoir atteint son but, être installé : l'illusion dure à peine. Aussi, du jour où je ne ressentis plus le besoin de formuler mes ambitions et mes songes, ni de rebattre les oreilles de deux ou trois confidents du grand destin auquel je me préparais, l'habitude se substitua-t-elle à l'ancienne, des programmes, de dresser à tout bout de champ des bilans.

Je n'avais plus besoin pour ce faire de plume ni de papier, de citations revigorantes ni de promesses en forme de communiqués victorieux, une insomnie suffisait, une heure de lassitude et de solitude, la digestion difficile d'une couleuvre. On comprend très vite, très facilement, que l'on n'a pas gagné la course, que l'on s'est trompé d'itinéraire, que l'on a des jambes de plomb, etc. On comprend un peu plus lentement, et après mille simagrées et tortillements, que l'on s'est avancé vers la grande espérance de sa jeunesse mais que l'on s'est arrêté en route, content de peu ou exténué.

C'est là, en ce lieu où le souffle manque, où l'encre se dessèche ou se tarit, que je suis parvenu. Mais alors que de précédentes additions et soustractions étaient justifiées par ma fatigue ou ma mauvaise humeur, celles-ci le sont par mon âge : aucune promesse ne saurait plus tromper quiconque, pas même moi. Je n'irai pas beaucoup plus loin que le point où j'en suis. Le temps des passions est passé, et je ne me donnerai pas le ridicule de lui courir après. Sans doute publierai-je encore quelques livres, mais aucun aveuglement ne peut plus me laisser espérer, croire, vouloir que mon chef-d'œuvre reste à écrire. On ne rasera pas gratis demain et nul directeur de conscience ne m'imposera, en guise de pénitence, d'écrire une vie de Rancé, comme, à des pécheurs plus modestes, de réciter trois pater et trois ave. Je suis seulement capable, dans le registre qui est le mien, sur mon chemin et pas ailleurs, d'aller un peu plus loin, un tout petit peu, à force de savoir-faire et de travail, à supposer bien entendu que sur ce chemin je ne recule pas, ce qui serait dans la logique de nos métiers et de mon âge. « Untel ? Il se survit... » Encore bien beau ! J'aurais aimé être un athlète, un colosse de littérature, tout un orchestre à moi seul, mais il faut m'y résoudre, je puis raffiner sur mes airs de flûte, tenter de donner quelques sonorités exquises, inédites et crépusculaires à ma musique de chambre – je ne ferai plus éclater de fanfares aux oreilles du monde. Je n'ai ni gagné, ni perdu – j'ai joué, c'est tout. Au moins avais-je choisi le terrain. Mais, même là, plus de prouesse à espérer.

Il n'est pas interdit quand on établit un programme d'avoir les yeux plus grands que le ventre. Un peu d'inaccessible flatte les rêves. Inversement, la complaisance, dans un bilan, prend sournoisement l'apparence de la sévérité, du défaitisme. Narcissisme sombre, le plus voluptueux. On se déprécie, on se rapetisse. Pêche aux compliments, aux dénégations ? Ou simplement *ce qui est ?* Une fois prise l'habitude de se regarder sans excès d'indulgence ni de dureté, on y prend goût. Le premier effort n'est même pas coûteux.

Les carrières se projettent rarement dans l'avenir des jeunes gens en perspectives rectilignes ou en parcours de jeu de l'oie. Il y a ceux qui ont du jus et ceux qui n'en ont pas, les soumis et les bagarreurs. L'ambition des seules « professions délirantes » impose, dès l'adolescence, un pari total et des engagements irréversibles. On peut tricher sur une place dans les assurances, l'industrie, même la fonction publique. Le vocabulaire de la comédie sociale fourmille de formules et de ruses destinées à donner le change. Mais un peintre, un musicien, un écrivain, un comédien, la terre entière juge s'ils ont rempli leur contrat ou chuté. Un enfant y verrait clair. C'est pourquoi les « professions délirantes » imposent aussi, le moment venu, de la rigueur dans le bilan. Rien de plus inutilement ridicule qu'un musicien non joué, un peintre sans galerie ni collectionneurs, un littérateur publié par les officines de comptes d'auteur. Il n'y a pas, à soixante ans, d'artistes méconnus. Raison de plus pour ne pas gonfler la poupée. Je veux calculer juste.

J'ai souvent dit mon admiration pour ceux d'entre les humains qui se sont révélés capables de « changer la vie ». Ayant changé la mienne, ou plutôt l'ayant jouée sur un terrain qui ne me paraissait pas favorable, je m'octroie un peu de la considération que je suis prêt à offrir à autrui. Je n'étais pas membre du club; personne autour de moi ne l'était; je m'y suis fait admettre et, parfois, fêter. Dont acte : j'aurais mauvaise grâce à bouder tous les plaisirs.

L'année de ma soixantaine, j'ai reçu une lettre venue de très loin : j'avais connu la dame qui me l'adressait quarante ans auparavant. Elle en avait alors vingt-cinq, ou à peine plus, quand je n'en avais pas vingt. Amoureux d'une jeune fille qui lui était proche, j'avais essuyé les froideurs de cette trop jeune belle-sœur que ni son âge, ni son apparence, ne rangeaient tout à fait dans le camp des grandes personnes où l'avait enrôlée son mariage.

Puis la vie avait secoué le *shaker* et composé autrement ses mélanges.

Cette lettre qui traversait tant d'épaisseurs de souvenirs et d'aventures à jamais ignorés (et à laquelle je cédai à la facilité de ne pas répondre) me frappa, sinon par le caractère enfantin de son écriture et de son style, au moins par l'aveu étonné qu'elle contenait. « Ainsi, s'écriait – façon de parler – ma correspondante bretonne, vous êtes *vraiment* devenu qui vous prétendiez vouloir être! Et nous qui prenions tout cela pour des poses de potache... » « Poses » et « potache » n'étaient pas des caresses, « tout cela » non plus. Avais-je été un garçon si présomptueux? Il me semble avoir souffert de bien d'autres défauts, mais poseur! Quant à l'incrédulité dont la jeune dame de 1946 avait enveloppé des espérances que, sans les étaler – grands dieux!, je ne cachais pas, avec quatre décennies de retard, elle me stupéfia. Comment peut-on mettre en doute les appétits d'un adolescent? Jamais plus dans la vie l'élan ne sera aussi violent, aussi fervent. Une quadragénaire vous jure fidélité, un homme d'affaires promet de mirifiques bénéfices en vous empruntant de l'argent : méfiez-vous-en! Mais un gosse qui rêve d'ouvrir la cage et de s'envoler...

Je me fis deux réflexions complémentaires.

Peut-être la croûte petite-bourgeoise, chez les gens que je fréquentais alors, était-elle beaucoup plus épaisse que je ne l'imaginais? Peut-être aussi la disproportion entre mes ambitions et mes moyens amusait-elle la galerie? Cette seconde hypothèse me plaît davantage, qui revient à m'attribuer, après coup, une victoire plus flatteuse.

LA GUERRE AUX FEMMES

J'AI fait la guerre aux femmes sans oser jamais la leur déclarer. En est-il temps, maintenant que toutes les batailles ont été livrées, et plusieurs perdues? Une amie, de peu ma cadette, qui fut autrefois une de ces batailles indécises puis par moi perdues – une escarmouche, plutôt, rabaissons-lui le caquet – me demande aujourd'hui, son bel œil brillant de secrets plus ou moins gardés : « La direz-vous un jour, François, la vérité?... »

Je ne me suis jamais habitué à la situation des gens en train de faire l'amour. Comme on dit : je n'en suis pas encore revenu. Peut-être même n'y suis-je jamais allé? Ou si rarement. Ou dans une hâte si brouillonne.

De mes dix-huit à mes trente-cinq ans environ, et plus tard encore en secrètes rechutes, ma vie a été conduite en fonction de passions que je n'éprouvais pas. Je ne feignais pas de les éprouver. Je ne mentais pas. Je chaussais simplement mon cœur une ou deux pointures au-dessus. L'écho de ces comédies, vécues parfois avec une grande conviction, retentit dans presque tous mes livres où elles tiennent un rôle central. Comment ne me suis-je pas avisé de mon indifférence à une époque où cette découverte eût peut-être abreuvé ma littérature à d'autres sources? Une amie subtile, Dominique Aury, me disait vers 1960 : « Ah, quand vous parlez de l'indifférence *(Portrait d'un indifférent)*, vous connaissez autrement mieux votre sujet que dans les livres *(Le Corps de Diane)* où vous vous mêlez de jalousie!... » Personne d'autre, à ma connaissance, n'a remarqué que ces jeunes femmes omniprésentes n'étaient que tolérées dans des histoires où elles avaient l'air de régner. L'interchangeable héros passait son temps à les quitter ou à attendre qu'elles s'en allassent, à hésiter entre l'une et l'autre, à glisser de l'une à l'autre. Les jeunes femmes de ma vie réelle savaient, elles, que je ne leur étais attaché que par des liens nerveux, frivoles, vite cassés, et qu'il était difficile de me tenir par *le ventre*. Elles ne l'ont pas dit, ou seulement des murmures qui me paraissaient inaudibles. Un peu sourd? Ces aveux-là, il est vrai, ne flattent pas les femmes, et, les risquant pour régler un compte, elles s'y blessent. Le silence vaut mieux, dont profitent les hommes, qu'il *couvre*. Il me semble en avoir beaucoup bénéficié.

N'en déplaise à Dominique Aury, dont le jugement était juste, mais appliqué à deux textes vieux aujourd'hui de plus de trente ans, les palpitations, les jalousies, les impatiences ont tenu large place dans ma vie. C'est du côté du plaisir que mon solde est resté débiteur. Plaisir donné, plaisir reçu, inséparables. Autant m'a brûlé le feu du désir, de l'attente, autant l'assouvissement m'a presque toujours paru tiède ou trompeur. Ni profusion, ni émerveillement. A quelques exceptions près, souvent liées à l'habitude et toujours à la tendresse, mes amours m'ont occupé la tête et le cœur plus que le corps. La tête, justement, jamais je ne la perdais. Je ne cessais jamais de me voir en train d'aimer, et ce spectacle, je l'ai dit, m'étonnait. Je préférais la nuit, qui décourage l'imagination. J'ai retrouvé ces sentiments (dont j'aimerais savoir si beaucoup d'hommes les partagent : écrivez-moi!), depuis que nos télévisions, au terme d'une aberrante évolution des mœurs, proposent des films pornographiques. J'éprouve à les regarder, outre la considération que méritent parfois les gros plans d'une action en soi monotone, à peu près le même sentiment de saturation désolée qui, au lit, me volait ou voilait le plaisir. L'éclairage cru dont les films X baignent les ébats amoureux, les visages renfrognés et absents des partenaires, les halètements, la pauvreté des rares supplications échappées de bouches occupées à d'autres usages que la parole, quelque chose de livide, de médical et d'irrémédiablement trivial à quoi n'échappe aucune de ces scènes : tout cela, qui est abominable, n'en est pas moins *ressemblant*. Et je me retrouve devant le récepteur de télévision aussi incrédule et glacé que j'ai si souvent regretté d'être dans l'amour.

A eux seuls, les films pornographiques ne suffiraient pas à me rendre lucide, même s'ils m'ont en quelque sorte forcé à reconnaître et à exprimer des dégoûts depuis longtemps familiers. L'âge, en ce domaine comme en quelques autres, a aussi joué son rôle dans l'effort de vérité au bout duquel ce texte prend forme. Aurais-je, il y a vingt ans, couru le risque de formuler les déceptions et la satiété évoquées ci-dessus? Ou aurais-je eu trop peur de faire fuir les jeunes femmes autour desquelles tournait inlassablement un appétit qu'aucune fadeur ne décourageait? En 1963, dans *Un petit bourgeois*, j'eus le courage d'intituler un chapitre « A côté de la fête ». Je le relis : il était plus vif et cru que ces pages d'aujourd'hui. Pourtant, les écrivant, elles me paraissent héroïques. J'allais plus loin à trente-cinq ans, et d'un pas plus intrépide. Je ne mâchais pas non plus mes mots, il y a dix ans, dans *Le Musée de l'homme*. Il est vrai qu'il est plus facile de se moquer du théâtre quand on est sûr de s'y voir encore distribuer quelques rôles. Arrivé le temps de l'éternelle relâche – ô vertu des mots! – on brode des arabesques, de la dentelle. C'est Pont-aux-Dames, le bien nommé. L'âge, que je crois dispensateur d'impitoyables rudesses, nous fait aussi plus délicats. Deux fois déjà, à seize années d'intervalle, j'ai écrit la vérité; elle me dérange au point que je feins d'avoir oublié ces deux livres. Non pas à la façon banale des écrivains, qui, ne se relisant pas, rabâchent, mais parce que je rêve d'avoir encore devant moi quelques confidences périlleuses à oser : cette perspective m'offre une plus supportable idée de moi.

Quand une femme nous dit : « C'est normal, mon chéri, chacun de nous a un passé », cela signifie simplement qu'elle a appris, expérimenté, perfectionné sur d'autres corps avant le nôtre ces pratiques exquises et affreuses – oui, celles-là auxquelles tu penses; modère les battements de ton cœur – qui font de nous, pour un temps, son esclave à l'imagination pleine de haine.

J'ai passionnément cherché à aimer des personnes assez jeunes pour n'avoir pas de « passé ».J'ai haï, chez les autres, les traces, les cicatrices, l'expérience, le désabusement, et jusqu'à la confiance renouvelée, obstinée, qu'elles semblaient tenir de leurs échecs précédents. Echecs? Forcément, puisqu'elles se trouvaient là, avec moi, tous leurs vieux mots, leurs vieux gestes ressortis de l'armoire, lavés et repassés, prêts à resservir. Je ne concevais pas qu'une femme pût accumuler des aventures heureuses comme il me semblait légitime que fît l'homme. Plaquée ou plaqueuse, je ne lui voyais qu'un passé de déceptions et de malheurs. Avait-elle été, dans le duel, la plus forte, avait-elle quitté l'homme d'avant moi ? je redoutais aussitôt un caractère trop rugueux et hardi pour me convenir. Et puis, la porte qu'elle avait claquée, elle pouvait la rouvrir. Avait-elle au contraire été abandonnée ? (les grands mots, tout de suite !), je ne la voyais plus qu'abaissée, blessée. Une brute l'avait mise à mal. Qu'avais-je besoin, moi, d'aimer une humiliée, de me contenter des restes d'un inconnu ? Et ainsi de suite. Le mécanisme fonctionnait avec une rigueur implacable. Seules de très jeunes filles pouvaient échapper à l'engrenage. Du moins m'en offrirent-elles l'illusion, à laquelle j'eus parfois la sagesse de croire.

Les années ayant passé, je constate que ma vie d'homme couvre deux époques complètement différentes de la vie des femmes dans nos sociétés.

Mon adolescence et ma jeunesse ont été obsédées par la peur d'engrosser les filles. Angoisse omniprésente, omniprésente tentation de lâcheté : les cent mille francs sauveurs, le voyage en Suisse, l'interne complaisant (on prétendait toujours, pour rassurer, qu'il avait passé des concours...). Et l'affreuse, héroïque gaieté des petites, après, quand on allait boire un whisky au plus douillet d'un bar, reprendre souffle : « Repose-toi, prends ce fauteuil... » Elles retardaient le plus possible leur retour à la maison, où l'œil soupçonneux d'une mère eût vite repéré cette pâleur dolente, cet inexplicable malaise. « Rentrez chez vous et allongez-vous, mademoiselle... » Ils appuyaient sur le

« mademoiselle ». La honte était comprise dans les cent mille balles. « En liquide, s'il vous plaît. » Nous avons tous un passé ? Oui, un passé d'avorteur.

Je n'aurai vécu qu'une révolution dans mon existence : la contraception. On saura un jour que la pilule et le stérilet ont plus changé les sociétés d'Occident que des siècles de batailles fratricides. Les femmes ont été libérées; les sociétés, condamnées. Devenues les égales des hommes, les femmes connaissent une période de griserie, de pouvoir, de défi. Après quoi elles seront emportées dans la décadence qui abaissera nos civilisations malthusiennes et exsangues, et dans le cataclysme qui les détruira. Nous n'en sommes pas tout à fait là. Contentons-nous de célébrer l'événement que fut, au cours des années soixante, le surgissement de cette partenaire inconnue, sur qui ne pesait plus l'immémoriale sujétion. Elle parla plus haut, plus clair. La revendication féministe, au lieu d'être le monopole d'une minorité combative et parfois légèrement attendrissante, devint l'affaire de presque toutes les femmes. Mes fameuses jeunes filles, ou leurs petites sœurs, en quelques années, changèrent de ton, se retrouvèrent dans la peau d'autres personnages, intrépides, émouvants. La famille bourgeoise, qui avait été mon terrain de chasse et mon champ d'expérience favoris, éclata. La mienne la première, où le style de la vie quotidienne changea. En 1961 et 1962, quand j'écrivais *Un petit bourgeois*, les grossesses involontaires et la dépendance des femmes étaient encore au cœur de mon propos. Les angoisses, les ressentiments et les mythologies ne s'étaient pas mis à l'heure de la médecine. En 1977 et 1978, quand j'écrivais *Le Musée de l'homme*, la distance n'était pas assez grande entre le phénomène et moi pour que toute sa nouveauté m'apparût. Obnubilé par les enfantillages de 1968, je n'avais pas vu qu'une *autre* révolution avait eu lieu, qui bouleversait les mœurs, renversait les hiérarchies, les ordres. Je regardais les barricades, qui m'amusaient – c'est la pétoche des profs, des parents, des patrons qu'il eût fallu considérer : aucune de ces honorables castes ne s'en est remise.

Des deux types de femme que j'ai connus, à tout prendre, je préfère le second. Il arrive que ces nouvelles cavales me désarçonnent, mais je ne me sens pas tenu de les monter.

MODE D'EMPLOI

MES livres se sont souvent refusé le panoramique. En revanche, ils s'accommodent du travelling. Mon objectif s'est toujours déplacé au même rythme que moi, dans l'espace et dans le temps. Mes lecteurs, comme mes héros, devraient avoir vieilli avec moi. Du moins est-ce ainsi que je les imagine, tout en rêvant, bien entendu, de conquérir quelques cadets, lesquels me citent d'anciens livres, que je ne reconnais plus. J'ouvre une bouche et des yeux étonnés : ils doivent me trouver peu de repartie.

C'est avec les carences et les lacunes de la littérature que je tente d'en faire. C'est avec la hantise de la déchéance et de la mort que je peux donner de la consistance à ces jours creux, sonores, rapides et lents, dont l'âge fait mon ordinaire. C'est au silence que je donne voix, la fuite que je fixe, l'oubli que j'explore. J'appelle oubli l'épreuve par laquelle doit passer le passé pour devenir matériau littéraire. Il n'eût servi à rien, je m'en persuade, de *noter* : ce que je n'ai pas préalablement perdu de vue, d'odorat, de mémoire, puis exhumé, puis réinventé, résiste à toute mise en mots. L'oubli permet – impose? – une recréation simplifiée, syncrétique, si convaincante qu'elle se substitue bientôt à la vérité vraie, qu'elle repousse. Selon la loi économique : la mauvaise monnaie chasse la bonne. Mais que s'agit-il d'acheter? Et pour ce marché-là, en quoi l'or vaut-il mieux que mes billets? La littérature est forcément fiduciaire.

Vient toujours un moment où les diverses conventions de mes récits s'effritent ou s'effondrent. Tentation du silence, pressante, familière. Il m'arrive de rester deux ans sans penser à un livre, sans en écrire une ligne. Pourtant l'urgence et l'intensité de ce que je me sens tenu de dire restent intactes : la dépossession qui menace, le déclin dont s'esquisse la pente, ma rage. C'est l'habit, la garniture, qui me paraissent impraticables.

Il arrive que mon texte se rapproche tellement de moi, colle de si près à moi – comme un vêtement mouillé révèle le corps et le fait paraître plus nu que nu – qu'un sentiment d'obscénité me suffoque. Honte, soudain, de ce que j'écris, et honte mal supportable, bien que j'aie toujours prétendu qu'un écrivain devait rougir de ses mots.

Mais c'est moins la turpitude de mon texte qui me dérange, que les rites auxquels je vais sacrifier en le livrant aux lecteurs. Se dévêtir n'est rien, mais s'approcher de la fenêtre et l'ouvrir... A chaque livre l'épreuve est plus rude, ma gêne plus chaude, et plus cocasse le décalage entre intentions et commentaires. Pour comble, *mes* commentaires seront les plus discordants. C'est toujours l'écrivain, qui, saisi par un tournis d'embarras, une ivresse de confusion, ouvre la voie aux malentendus.

LA FUGUE ET LA COQUILLE

QUAND on sent le danger se faire pressant, et durcir la prise du ciment, il est en général trop tard pour échapper à cette *installation* qui marque l'âge et pour les natures bonasses l'adoucit. On se fixe, on possède, on influence. On accueille du même sourire les crédulités batailleuses de la jeunesse et les jalousies que ne manquent pas de nourrir, chez les modestes, nos réussites. Réussites? Ah, le beau mot! Nos épouses émeuvent, nos maîtresses enlaidissent. Nos enfants vaguent au loin. Est-il encore temps de fuir?

J'ai beaucoup pratiqué la lâcheté dans ma jeunesse. Faiseur d'anges, divorceur, perpétuel démissionnaire, filochard tous azimuts, j'avais fait de la rupture une morale, une réponse à tout, un art de survivre.

Je ne tenais pas ces traits de caractère pour des vertus ni des talents. Au contraire je battais ma coulpe, je me désolais de n'être ni fort, ni bon. A chacune de mes fuites je me sentais un peu plus coupable, alors que j'aurais dû me féliciter de posséder le courage de ces arrachements. J'ai eu honte pendant vingt ans d'une des rares facultés capables de me tirer en avant. L'âge, qui nous rend arrangeants et nous fige, nous fait enfin comprendre le prix de cette mobilité dont nous profitions comme du privilège le plus naturel. Essayons-nous de le singer, nous avons l'air d'hurluberlus. Impossible de feindre. Notre vélocité, notre insouciance sont perdues. J'ai vu Paul Morand, toutes ses articulations peu à peu soudées par l'arthrose, se faire décoiffer dans des cabriolets de jeune homme. Sa femme Hélène, octogénaire, la tête enveloppée de tulles et de voiles, subissait chaque secousse des reprises hargneuses de la Porsche, les rafales de vent, la cuisson solaire. C'était cocasse et pathétique. Mais rien n'y fit : le temps avait rattrapé ces êtres prodigieusement rapides. Il les avait peu à peu pétrifiés. Morand, si pressé, ne se fût échappé qu'en s'arrêtant. C'eût été la seule ruse capable de tromper les démons qui le pourchassaient depuis toujours.

Vers le milieu des années cinquante, avec la *beat generation*, apparut sous une forme qui me toucha une nouvelle mythologie de la route, du refus absolu et de l'errance. L'espace américain, l'exemple ancien des pionniers en marche vers l'Ouest, ce qu'il restait de naturel et traditionnel nomadisme dans le caractère de leurs descendants, composaient un climat favorable à cet élan retrouvé. A-t-on remarqué que *Lolita*, avec l'interminable déambulation de Humbert Humbert et de sa petite compagne de motel en drugstore, précédait de deux ans *Sur la route*? A ce moment-là ou un peu plus tard, avec la vague *hippy* et le surgissement d'un nouveau type humain – cheveux longs, allure christique, non-violence, illusions communautaires – se développa une protestation, passionnante dans la mesure où elle ne toucha pas seulement des jeunes gens – chez qui elle pouvait passer pour la forme à la mode de l'originalité juvénile – mais des hommes mûrs, installés, conformes à un modèle social puissant et jusque-là respecté. On vit alors, dit-on, des « cadres » dorés, des chefs d'entreprise et de famille, des illustrations honorables du système américain, *jump out*, descendre en marche, échapper aux règles de leur existence, renoncer à ses conforts et, sinon « prendre la route », au moins tâter d'une anarchie et de mœurs à quoi rien, sauf cette surprenante révolte, ne les avait préparés. Démon de midi à la sauce et aux épices californiennes ? Résistance spectaculaire à une andropause privée et sociale soudain insupportable ? Si l'on veut. Mais à condition de ne pas oublier que ces escapades ne furent qu'une manifestation, parmi d'autres, d'une crise qui cassa ou dérégla un moment la machine américaine, arrêta une guerre, aida un grand pays à avaler, puis à digérer la première humiliation de son histoire. Il ne s'agissait donc pas seulement de pittoresque social. Je ne sais pas si beaucoup de quinqua et sexagénaires d'outre-Atlantique *sautèrent* ainsi hors du train emballé, récusèrent la Loi et l'Ordre, mais je rêve encore, vingt ou trente ans passés, sur ces tentatives superbes, un peu folles, éminemment romanesques, de ranimer des vies assoupies, de rallumer les braises. Elles me paraissent toujours être une des deux formes possibles de la résistance à la vieillesse.

Quelle est l'autre ?

A peu près le contraire de la fugue, mais qui en retrouve les conséquences et les bénéfices escomptés : le repliement sur soi, la retraite volontaire et extrême. Ici, toutes les nuances et tous les degrés sont possibles, du simple ensauvagement à la claustration, du banal refus des charges et des honneurs au « grand fond malempiat » de la séquestrée de Poitiers. Job finit toujours par aimer son fumier, quand bien même il ne l'aurait pas choisi.

Sur les rares quais de la Seine encore épargnés par la bagnolade, le soir, dans les bosquets du Bois, sur certains bancs ou près de bouches d'aération du métro, de soupiraux d'où dégorge un peu de chaleur, on voit encore des clochards et clochardes assis sur des sacs ou enveloppés de cartons d'emballage, à côté de qui une voiture d'enfant contient toutes les possessions terrestres de son propriétaire. Le clochard de ce style a conservé son apparence, ses usages. Il est un des rares personnages de notre tragi-comédie sociale à être resté fidèle au repoussant folklore de la misère. Aucune métamorphose n'a adouci le spectacle qu'il offre. C'est à peine si, à la trogne avinée d'autrefois, ont succédé le teint blême, les traits aigus et usés qu'on voit aussi aux épaves du Bowery. Hommes plus jeunes, aux origines et à la dérive plus mystérieuses, dont aucune truculence ne vient apprivoiser la silencieuse déchéance.

J'éprouve devant les clochards de cette espèce la répulsion et la pitié qu'on est en droit d'attendre d'un bien-portant aux équilibres assurés. Je produis volontiers ces sentiments. Mais ils se doublent d'une curiosité plus inquiétante, presque d'une connivence, qui m'intriguent. Plus que tout, me fascine la voiture d'enfant. Qui de nous, embarrassés que nous sommes de chaumières, mazets, bibliothèques, garde-robes, ouvrages de référence, pochettes en soie de Thaïlande, n'a rêvé de rassembler un jour tous ses biens en un seul lieu, un seul bagage ? « Dix livres pour une île déserte », etc. Qui de nous, dans les moments où la vie lui coule entre les doigts, n'a pensé à se terrer, à se clapir ? Volets clos en plein jour, téléphone débranché, enveloppes non ouvertes, invitations oubliées sont les formes encore quotidiennes et mondaines d'un effacement qui, de proche en proche, peut gagner toutes les régions de nos vies. La grotte, la coquille. J'en éprouve la tentation, à travers des initiatives, des habitudes encore innocentes : garder à ma portée les objets usuels, les disposer – ceux de l'écriture surtout – dans un ordre immuable, les accrocher, les ranger, tout un bricolage fût-il nécessaire, et des clous, et des ficelles, pour me procurer cette sensation de densité, donc de sécurité, que je crois qui m'aide à vivre. Lit de l'enfant avant le sommeil. Niche du chien. Cabine du navigateur solitaire. On est libre de voir, dans ces façons de se blottir au centre d'un réseau de commodités minuscules et maniaques, une nostalgie de l'œuf, du ventre maternel, de l'invulnérabilité originelle. Hypothèses sans doute justes, mais elles m'intéressent moins que la façon dont la vieillesse retrouve le secret de s'acagnarder, de se tapir, de constituer de dérisoires réserves, les mêmes, à l'évidence, dont les primitifs garnissaient les tombes et qu'ils destinaient aux fringales du mort au long de l'inimaginable traversée.

Quand, après la mort de ma mère à l'hôpital, je me résolus enfin à visiter et à vider le petit appartement où elle n'habitait plus depuis des mois, mais dont je m'étais refusé à ouvrir la porte, j'y fus moins frappé par l'accumulation de souvenirs et de témoignages de mon enfance, à quoi je m'attendais, que par les signes de l'irrésistible processus d'enfermement, de clochardisation, qu'à l'insu de tous la vieille dame avait entamé. Un espace restreint avait été, par elle, délimité dans le logement pourtant exigu : il contenait le fauteuil, la table proche, le repose-pieds, le récepteur de télévision, le téléphone, une lampe à l'ampoule parcimonieuse, le tiroir à demi ouvert d'une commode. Non pas que ma mère fût, à l'époque, impotente, mais elle avait voulu, me semblait-il en m'asseyant à sa place, refermer autour d'elle, comme le cercle d'une protection magique, la frontière de cet infime territoire personnel découpé dans l'univers, à peine plus vaste, qui lui était devenu indifférent ou hostile. Dans le tiroir de la commode je trouvai, outre des photos de ma sœur et de moi – alors qu'elle les prétendait égarées ou niait leur existence –, une vingtaine de boîtes de pâtes de fruits, chocolats, fruits confits, dont elle disait raffoler, que nous lui offrions en toute occasion et qu'elle avait à peine touchés, refermant chaque boîte après y avoir goûté un ou deux bonbons et laissant les autres se gâter, se racornir, devenir tels que je les découvrais. Ces friandises desséchées, blanchies de sucre, m'offraient de la mort de ma mère une image à laquelle je n'étais pas préparé. Le spectacle d'un cadavre, réputé insoutenable, on bande ses forces pour l'affronter. Mais les habitudes et précautions insignifiantes que j'imaginais, assis dans le vieux fauteuil à oreilles, révélaient tout un fragile équilibre de peurs sur lequel la nuit du grand âge avait peu à peu étendu ses ombres. Ma mère, que volontiers j'imaginais passive, végétative, donc peu ouverte à l'angoisse, occupée de soins et de préoccupations dérisoires, avait vu venir vers elle l'indicible et s'était préparée au dernier combat comme je sais désormais que je ferai. Ni moins bien, ni mieux. Le prétentieux opéra que nous passons une vie à composer se réduira, le moment venu, aux étouffements et aux râles. Déjà, dans mes tiroirs, ne suis-je pas en train de constituer mes réserves ? Réserves de sucreries, de biscuits, réserves de mots, piètres exorcismes.

Une seule fois, dans un roman, j'ai inventé et raconté cet amenuisement volontaire d'un personnage. Ce sont les dernières pages de *L'Empire des nuages*, que j'évoque ailleurs dans ces notes. On y voit le peintre Burgonde, après avoir vendu ses maisons, sa voiture, ses meubles, après que sa femme et ses enfants l'ont quitté, se réfugier dans son atelier et y constituer autour de lui, peu à peu, comme dans une grotte après un cataclysme ou dans la coque d'un sous-marin, une tanière un peu fabuleuse. Je n'avais pas lésiné dans ma description sur les pinces à linge et à dessins, les petites trouvailles de concours Lépine, ni sur ces grandes ventrées que s'offrent souvent les solitaires et les vieillards. (L'étonnant, avec les boîtes de friandises découvertes dans le tiroir de ma mère, n'était pas leur accumulation, mais qu'elle ne les eût pas vidées : la peur de manquer l'avait, sur le tard, emporté.)

Or, jamais sans doute je n'avais éprouvé, à inventer un épisode, pareil plaisir. Moi qui écris le plus souvent sans excitation ni joie, je jubilais en transformant Burgonde, détail après détail, en « original », en type pittoresque, en Léautaud sans les chats, en cloche sans le litron, et je lui aménageais son gîte avec le même soin maniaque ou délirant que j'aurais apporté à creuser mon propre trou. Je *comprenais* Burgonde, mieux sans doute que dans les cinq cents pages qui avaient précédé son ultime avatar. Enfin j'étais devenu lui, il était devenu moi, et je sentais, à l'affût en moi, la douce et terrible tentation me guetter, de la claustration et du silence. Terrible, parce qu'elle anéantit un homme au regard du monde ; douce, parce qu'il était rassurant de penser qu'en tout cas cette solution existe, relativement facile à administrer, et qu'il nous est toujours loisible, l'âge venu, de nous laisser rapetisser jusqu'à ne plus offrir aux coups qu'une surface exiguë, un volume négligeable.

GRAFFITI

Mai 1968 à la Sorbonne.

A la fin d'un dîner chez les R., nous décidons de faire visite à la Révolution. Nous partons, à onze heures, vers le quartier latin. Nous sommes sept ou huit, en deux voitures, lesquelles, puissantes et de modèles qui ne passent pas inaperçus, seront garées loin des rues chaudes. En traversant la place Paul-Painlevé et la rue des Ecoles, je vois deux de nos compagnes, d'un joli geste coulé, glissant, retirer les brillants de leurs oreilles : craignent-elles que les « Katangais » ne les leur coupent ? Les robes, qu'elles ne retirent pas, compte tenu des circonstances restent une extravagante provocation.

(Je n'ai pas dû résister au plaisir de raconter tout cela. Ces deux heures se sont sûrement faufilées dans un roman, avec la Rolls laissée au loin à la garde d'un chauffeur, Duras me sautant au cou, etc. Ai-je pensé à évoquer, dans la foulée, l'ultime image que nous emporterons de notre soirée ? La voici : dans le grand vestibule de la Sorbonne, notre cousine B., arrachée pour un temps à ses hôtels, à ses jardins, à ses mécénats, tient un des coins du vaste drapeau rouge où les badauds sont invités, avant de quitter la Sorbonne, à jeter leur obole à la sédition...)

Inutile de raconter notre errance à travers les couloirs et les amphithéâtres, la cour transformée en souk, la fumée, l'incroyable crasse, les prises de parole débiles ou anarchiques, la dégaine des héros : une littérature a parasité tout cela. N'y ajoutons rien. Seulement ceci : pressé par un besoin, je cherche à m'isoler pour le satisfaire. De vieux souvenirs d'étudiant me guident, puis me perdent. Je finis par trouver des toilettes, probablement réservées aux professeurs : le laissent supposer les graffiti qui les ornent, certains antérieurs, semble-t-il, aux événements. Le lieu n'est pas des plus avenants. Parmi les formules et slogans écrits, bombés, gravés aux murs, la plupart, comme il est normal, d'inspiration scatologique ou sexuelle (et certains, il faut en convenir, assez inventifs), un me frappe plus que les autres. J'espère le transcrire fidèlement : « Tu as beau te la secouer, papa, il y aura toujours une goutte pour le caleçon... »

Le charivari me parvient, par vagues, quand battent les portes. Des canalisations engorgées montent des odeurs suffocantes. « Tu as beau te la secouer, papa... »

Les murs n'exsudent pas un parfum moins repoussant que les grands urinoirs démodés devant lesquels se sont sentis fugitivement humiliés, j'imagine, des hommes savants, désarmés, parvenus à ce moment de leur âge où pisser, en effet, apparaît parfois comme une fragile victoire. Ils marchaient ensuite vers l'amphithéâtre où les attendait la horde estudiantine française, magma de fumistes, de prédélinquants, de bûcheurs et de lécheurs d'où était sortie, anonyme, collective, l'injure ignoble.

Je sais pourquoi, cette nuit-là, pendant que déferlaient sur la Sorbonne les ondes de cris et de chants – faux, les chants, puisque nous sommes en France – une scène m'est remontée à la mémoire, vieille alors de vingt-quatre années, qui s'était déroulée non loin de là le 25 août 1944 et à laquelle j'avais assisté sans mot dire, écrasé de dégoût et de lâcheté. On avait exhibé et tondu des femmes, au milieu du boulevard Saint-Michel. Dépoitraillées, hagardes, de dégoulinantes croix gammées peintes au minium sur leur visage, leur crâne rasé, leurs seins, c'était de pauvres filles sorties des obscurités de la rue de la Huchette et de la rue Saint-Séverin. On les accusait de s'être fait culbuter par des soldats allemands. De quoi soupçonnait-on les professeurs de la Sorbonne, auxquels les graffiti des gogues infligeaient une honte (ou tentaient de l'infliger, mais l'intention affreuse était là), qui me semblait de même sorte, de même *qualité*, si j'ose dire ? Coupables d'être vieux, et méprisables, de l'être, d'avoir le pas incertain, les sphincters relâchés, le ventre mou, dans lequel taper.

Aragon, un soir, au théâtre, dans les dernières années de sa vie. Deux jeunes gens l'accompagnent. Ils l'encadrent. Dix minutes après le commencement du spectacle le vieil homme s'assoupit, son menton posé sur le bréchet. Ses cheveux longs lui couvrent les oreilles. Risque-t-il de ronfler ? Coups d'œil des jeunes gens, dans la pénombre, sur les rangs environnants : s'est-on aperçu de quelque chose ? N'est-on pas ridicule ? On les devine partagés entre la gloriole d'être vus en compagnie de l'écrivain et la gêne d'être surpris à escorter un gâteux. Sur la scène la lumière devient plus intense, on y voit comme en plein jour. Alors les deux jeunes gens se penchent et, au-dessus d'Aragon endormi, dont la tête s'est davantage inclinée, ils échangent un sourire et un regard. On voit leurs dents briller, leurs yeux mouillés de pitié, de dédain.

A l'hôpital, dans les services de gériatrie (appellation noble donnée désormais aux mouroirs), la gentillesse du personnel s'exprime en diminutifs, petites chatteries familiales : grand-père, pépé, mamie, mémé, papy, papet, etc. Disparition des noms de famille, de « monsieur », de « madame ». L'âge installe ses victimes dans une sorte d'anonymat sentimental. L'humeur des infirmiers et infirmières glisse-t-elle à l'agacement, c'est vers l'enfance que les *petits noms* enfoncent les vieillards. Cela permet de les *gronder*, de leur *faire honte*. On leur parle comme à des bébés, à des garnements grabataires, à des mioches impotents mais capricieux. Comme à des pauvres, aussi. L'argent seul, et le petit reste de pouvoir qu'il confère, protègent les vieillards de l'insultante familiarité. Même état d'esprit dans les familles, où l'aïeul à héritage est traité avec les apparences du respect, voire de la tendresse. Ayant disposé de ses biens, ou appauvri, il est rudoyé, « placé », oublié.

Ma seule préoccupation quand j'allais à M. voir ma mère, les derniers temps : dresser, par ma présence, fût-elle épisodique, entre elle et ceux qui la soignaient, une barrière de respect, creuser une certaine *distance* qui me paraissait indispensable à sa dignité. Mais disposait-elle encore, au fond d'elle, d'un reste de dignité? Ne préférait-elle pas, aux rapports que j'essayais d'établir, cette mièvrerie avec laquelle, comme les autres, on la traitait? Elle était, à la lettre, retournée (pourquoi dit-on « retombée »?) en enfance. Elle en parlait le langage, elle en exprimait les préoccupations minuscules. Sans doute le peu de conscience que par instants elle possédait encore lui faisait-il espérer ces tiédeurs, ces sucreries dont je tentais de la priver. Ainsi les derniers soins dont je l'entourai la mutilèrent-ils un peu davantage.

PO

Il faut se méfier des mots quand ils viennent facilement. Ceux de la politique coulent de source, mais la source est empoisonnée. Depuis toujours me frappent cette aguichante disponibilité du vocabulaire de l'idéologie, ses œillades, ses glissades, ses barbarismes mielleux. Le langage de la politique est un infra-langage. Il peut donc être universellement pratiqué : la langue de bois est un espéranto. Hélas, depuis toujours ce bouillon me tente. J'ai appris autrefois rue Saint-Guillaume, à l'Ecole des Sciences Politiques, dite alors Sciences-*Po*, les rudiments chics du langage Po. (Pô ? Pot ?) Je serais capable de le parler avec un peu plus de virtuosité que ne font les clients du bistrot devant le noir arrosé du matin, si, comme tout le monde, je n'avais pas subi la longue imprégnation de mes mots par ceux de la tribu journalistique. J'éprouve, parlant de politique, une difficulté à les arracher à l'anémie qui les a contaminés. Et plus de difficulté encore à leur rendre leur neuf.

Nous avons vu pourrir les idées de ce siècle. Sous leur forme militaire et dominatrice, elles puent toutes.

L'ordre, le nationalisme, la tradition se sont discrédités dans la mascarade vichyssoise; la folie hitlérienne qui les a obombrées rend insupportable la référence à de vieilles valeurs devenues folles. A en juger par les exclamations et notes dont il avait zébré ses marges, mon père s'était passionné, vers 1932, pour *La Grande Peur des bien-pensants*. Je ne sais pas comment il considéra Bernanos quand le nazisme vint au pouvoir en Allemagne, mais je suis sûr, eût-il vécu, et consommée la défaite de la France, que le biographe de Drumont lui eût fait horreur. Un peu tard, direz-vous? Il est vrai que la présence, parmi ses livres, de celui-là, si visiblement lu et relu, m'a toujours troublé. Me serais-je, sous l'Occupation, dressé contre un père entraîné par Pétain vers Laval et Darnand? Ou son bon sens artisan, son patriotisme meusien, le fond de nationalisme qui justement lui avait fait considérer avec amitié Bernanos, cet « ancien combattant », eussent-ils fait de Paul Nourissier un père tranquille de la clandestinité, un de ces braves à tout poil qui risquèrent leur peau sans histoires, et, la Libération venue, ne mendièrent aucune place? L'atavisme, les photos de famille, un vieux parfum d'enfance me disent que le vrai personnage eût été celui-là, si édifiant, si *classique* que peut-être il m'eût rebroussé? Pas impossible à imaginer : le gamin fiérot, provocateur, que les anciens de Verdun, soudain, agacent, avec leurs décorations étagées au revers du veston, leurs poumons mités par les gaz, et ce mot, « boche », qui leur monte irrésistiblement à la moustache et qui n'est guère élégant. Peut-être un père vivant, courageux, irréprochable eût-il fait de moi, la saloperie des temps aidant, un voyou? La question me démange et je me la suis souvent posée. Ils étaient si pitoyables, les papies gaullistes de 1941, avec leur prophétie de sainte Odile, leur boîte à pastilles Valda pleine de mégots, leur héroïsme de biffins garés des voitures... Quelle chance, peut-être, de n'avoir pas été coincé au pied du mur et mis dans l'obligation de prouver sa vertu! De la vertu? Qui en est sûr au conditionnel passé?

J'en reviens à mes moutons littéraires : les pages sur la dégradation de Dreyfus déshonorent mon cher Barrès; telles vomissures antisémites des Goncourt me gâtent leur prodigieux *Journal*; et comment ne pas le constater, des deux plus grands écrivains français de mon temps, l'un, Céline, fut un forcené, longtemps interdit de séjour dans nos bibliothèques, et de l'autre, Claudel, la palinodie gaulliste ne fit pas oublier l'*Ode au Maréchal*. Aragon? Il ne brisa jamais la chaîne stalinienne qui, à l'entendre, le blessait fort. Les certitudes hautaines et naïves du haut desquelles, dans les années d'après-guerre, les progressistes de toute nuance pulvérisaient les réfractaires à l'ordre socialiste, se sont écroulées sans même écraser leurs zélateurs. C'est un plaisir intellectuel estimable que d'avoir vécu assez longtemps pour voir vaciller l'empire soviétique. Non pas qu'on souhaite malheur aux citoyens russes, mais réduire la superbe des idéologues communistes et de leurs « compagnons de route », ça, c'était une mesure de salubrité. L'effritement ou la dislocation des dogmes, les rétractations spectaculaires, les outrecuidantes leçons administrées par des renégats, l'abus délirant des formules et leur rejet après usage : tout cela passa sur nos sociétés, dirait-on, comme pluie sur le canard. Ne pardonne-t-on pas aujourd'hui à Berl, au nom de l'indulgence due à l'intelligence, les discours de Pétain, qui constituaient justement une faute contre l'intelligence? Qui se souvient des successifs oukases de Sartre? Des socialistes vitupérant le général de Gaulle, l'économie de marché, les ventes d'armes?... Quant à l'écroulement des sociétés bloquées depuis près d'un demi-siècle en Europe de l'Est, au prodigieux réveil de populations qu'on croyait à jamais anesthésiées, empêchent-ils nos augures de considérer gravement l'opinion du Parti communiste français et de lui attribuer une importance, une compétence, et même une aura que les faits, la mémoire, les chiffres et le bon sens lui dénient depuis belle lurette ? Une seule leçon, une seule évidence : les certitudes clamées et acclamées aujourd'hui par les uns et les autres feront sourire demain – d'un sourire sans gaieté. La *Po* a ses fauves, ses serpents, ses illusionnistes, ses virtuoses : comment pourrait-on croire encore en ses idées sans une infinie circonspection ?

Pourtant, cette ronde dansée sur de fausses notes me démange parfois les pieds. Pas au point d'y perdre des amis; j'ai appris à me boucher les oreilles quand ils me jettent à la tête des opinions qui défrisent mon amitié : je peux plus facilement les négliger. Des nostalgiques de Vichy et des socialistes purs et durs, grâce à ma surdité, viennent dîner chez moi. Je les considère avec une égale bonhomie et, mon Dieu, respecte leurs passions. Je ne ferme ma porte qu'aux dévoreurs d'Arabes, de nègres et de Juifs, qu'aucune subtile indolence ne me ferait tolérer. En quinze années d'amitié, Aragon ne me parla qu'une fois de politique, d'ailleurs avec véhémence, quand Kennedy accusa les Soviétiques d'installer à Cuba des rampes de lancement de missiles. Aragon, pendant la moitié d'un dîner, tonna et fulmina, au point que l'extra, figé derrière la porte, n'osait plus repasser le rôti. Puis l'orage s'apaisa et l'on n'en parla plus. Silence un peu plus savoureux, on s'en doute, quand Khrouchtchev, quelques jours plus tard, fit démonter et évacuer les fusées « imaginaires ». Une autre fois, rue Amélie où il était passé bavarder dans mon bureau des Editions Denoël, je posai à Aragon des questions sur Drieu et Nizan, ses anciens amis. Après de longues ruses enveloppées de regards gris, il finit, sur le trottoir, près de sa voiture dont le chauffeur tenait la portière ouverte, par me lâcher deux ou trois formules très peu inédites, d'une voix sifflante et impérieuse. J'en fus ahuri, mais répliquai. A ma surprise, la discussion ne dégénéra pas. Aragon me répéta des phrases où il était question de police, de l' « argent allemand », d'une auberge de marché noir et de la confiance qu'il devait à son parti. Mon erreur avait été, d'évidence, de glisser Drieu et Nizan dans la même conversation, où ils n'avaient que faire ensemble, le seul lien entre eux étant d'avoir donné de l'amitié à Aragon et d'en avoir reçu de lui, dans des moments bien différents de sa vie. C'était cette amitié qui m'intéressait, et ce qu'elle supposait – peut-être – de commun entre les deux hommes. La *Po* m'empêcha d'en savoir davantage. Mais j'avais un instant entrevu – nous étions, je pense, en 1953 ou 1954 – ce que pouvaient être, au parti communiste, la mise en scène des *débats d'idées*, et la façon de les jouer quand on était une des vedettes du mystérieux théâtre.

A vingt ans, comme (presque) tout le monde en France, je me sentis bien proche du Parti – ainsi qu'on devait dire. Nombre de ses militants sortaient de la clandestinité; certains revenaient de déportation; l'Armée rouge était auréolée d'un prestige que rien ne ternissait. Les communistes que je rencontrai alors me plurent : plus proches de moi par leurs origines sociales, leur style, que les beaux bourgeois auxquels j'avais été (je le serais encore) tenté de me frotter. La dialectique dont usaient les militants dans les discussions me fascinait. Ils paraissaient faire à leur interlocuteur une confiance optimiste, évidente, coulée dans la logique des choses, et leur donnaient rendez-vous dans un proche avenir – qui « chanterait », bien entendu – où se retrouveraient unis tous les hommes de progrès, de bonne foi, de lucidité, au nombre desquels ils comptaient déjà, cela allait sans dire, cet adversaire médusé. Leur certitude avait quelque chose de placide, souriant, implacable qui m'impressionnait. J'appris vite, aidé par mon caméléonisme universel, à manier cette rhétorique et l'appliquai en quelques occasions. Ah, ça marchait! Non pas que je fusse un dialecticien redoutable, mais l'air du temps avait déjà asphyxié plus qu'à moitié mes victimes. Pour la première fois on me proposait une grille qui, posée sur la société, la rendait à la fois intelligible, mobile et réformable. Mon milieu petit-bourgeois avait pesé sur moi comme un couvercle ou comme une nuit. Voilà que de l'air et de la lumière paraissaient circuler entre lui et moi; voilà surtout qu'un *mouvement* animait, ébranlait des structures qui, avais-je craint, m'emprisonnaient à jamais.

En 1947 je refusai, au printemps, de me rendre au Congrès Mondial de la Jeunesse qui se tenait à Prague, mais une sorte de regret me poussa, à la fin de l'été, à partir pour la Tchécoslovaquie : elle n'avait pas encore enfanté son communisme, mais les douleurs de l'accouchement y étaient perceptibles. A Bratislava, ce septembre-là, entouré d'étudiants que travaillaient des passions et des doutes comparables aux miens, (un jeune communiste et le fils d'un ministre de Vichy furent mes copains au long de ce voyage), je ne savais toujours pas où j'en étais. Et d'autant moins que je ne me privais pas, à l'époque, d'aller à la salle Pleyel écouter Malraux jeter l'anathème sur les communistes. Je frissonnai dans l'ombre quand il interpella et anéantit les « staliniens » qui avaient tenté de l'interrompre : « Je vous ai attendus à Teruel... Je vous ai attendus à Guadalajara... » C'était superbe. J'étais pantelant et incertain. J'avais vingt ans. Je retournai rue Saint-Guillaume en bavardant avec un camarade retrouvé sur le quai du métro. Brillant sujet, il paraissait moins indécis que moi. Déjà l'ENA, les cabinets ministériels, les grands postes et les opinions souples l'attendaient. Je relisais *L'Ordre*, Martin du Gard, *Retour de l'URRS*, *La Conspiration*, *L'Espoir* : sur mes textes de référence, dix ou vingt ans avaient déjà passé, qui ne laissaient parvenir jusqu'à moi, de la grande musique de l'« illusion lyrique », que des échos discordants.

J'évoque tout cela parce que nos espérances étaient honorables et que le siècle les a perverties ou bafouées. Je me retourne vers ces cinquante années et les vois pavées de désenchantements. Sous ces pavés, quelle plage ? Nous avons vu déferler des vagues successives de révolutionnaires : ils se retrouvent polygraphes, sniffeurs, animateurs culturels, fumeurs de cigares. Les « libéraux » en qui, trente ans, j'ai cru comme en un moindre mal, les voilà vaincus, exsangues, ne retrouvant un peu de vigueur que pour achever un frère ou un compagnon. Des amis qui ne se battent plus qu'entre eux, comment les accompagner à d'autres batailles ? Un sourd et lourd dégoût recouvre peu à peu le charivari des débats et les effets d'éloquence électorale. Peut-être, un jour, d'autres forces naîtront-elles de tant de faiblesse, d'autres espoirs de tant de crédulités trahies, mais je ne serai plus là pour applaudir à ces miracles.

Au reste, je donne ici l'autorisation de réimprimer après-demain ce petit livre – si telle curiosité se manifeste encore ! – en laissant tomber ce chapitre aux oubliettes.

SUR L'ÂGE

L'EXPRESSION ne frétillait pas dans mon vivier quand je la redécouvris, il y a une vingtaine d'années, chez Marguerite Yourcenar. Elle l'utilisait avec ce *grand ton* familier qui, un temps, fascina les Français. Depuis ils se sont détournés de cette vieille dame affable et méprisante qui aimait les animaux, cuisait son pain et refusa d'assister aux jeudis de l'Académie. A-t-on idée d'être aussi insolente ? Elle mourut sans avoir, semble-t-il, perdu une heure de sa vie, son œuvre inachevée, et dans un grand silence.

« Sur l'âge », la locution va se perdre. On la trouve chez Molière, Saint-Simon, Chateaubriand. Montherlant dut en tâter, et Barrès, qui notait dans un carnet les « mots nobles », aurait pu l'y inscrire. C'est elle, dans ma tête et sur la chemise jaune où je glissais ses premières esquisses, qui me servit à désigner ce petit livre tout le temps qu'en dura la rédaction. Mais en fin de compte il portera un autre titre. « Sur l'âge », si j'en crois mon intuition plutôt que le *Grand Robert* (une fois n'est pas coutume, on y cafouille un peu sur le sens à donner à l'expression : être sur l'âge, est-ce déjà la vieillesse ou seulement son approche ?...), exprime à merveille ce sentiment que l'on a, comme du sommet d'une éminence ou au détour d'une route, de découvrir le paysage de la vieillesse. On la domine encore, mais, irrésistiblement, on va descendre vers elle. Sur l'âge, on a encore de la vue, mais on n'a plus de choix.

L'évocation des *Réflexions sur la vieillesse et la mort*, de Marcel Jouhandeau, n'est pas pour me déplaire. Non plus que l'allure un peu engoncée, voire endimanchée, de la formule. On ne va pas en négligé à ces sujets-là. On se tient et on les tient. Si l'on n'écrit pas de l'âge avec une certaine raideur, on risque les dégoulinades de nostalgie, des ruissellements de larmes et d'effroi.

En règle générale, nos proches, nos amis et les professionnels consultés nous déconseillent d'utiliser les titres qui nous conviennent. Ils y mettent de la véhémence. Ainsi, en 1963, on faillit me priver d'*Un petit bourgeois*[1], jugé dépréciatif, petit genre. (Evidemment!) Quant à *En avant, calme et droit*, quand je l'annonçai on crut à une plaisanterie et l'on me somma d'indiquer au plus vite mon vrai titre. Je jure toujours de ne plus me laisser intimider, mais l'assurance et l'effronterie des gens d'édition sont extrêmes. Comment ne pas consulter qui nous vend? Les grimaces que *Sur l'âge* a essuyées vaudront donc à ces réflexions et anecdotes de s'intituler *Bratislava*, et, grâce à ces quatre syllabes rocailleuses et danubiennes, de conquérir, me promet-on, trois mille lecteurs supplémentaires, en vertu de la règle de toute lecture qui est le malentendu.

Quelques écrivains prétendent ne pouvoir pas commencer de travailler à un livre s'ils n'en savent pas, à l'avance, le titre. J'ai toujours cru appartenir à leur catégorie. L'expérience me montre pourtant

---

1. Premier des textes autobiographiques de l'auteur, lesquels composent, avec *Le Musée de l'homme*, *Lettre à mon chien* et *Bratislava*, une manière d'ensemble.

que si j'ai parfois fixé mon titre avant de me mettre à l'ouvrage, il m'est aussi arrivé de ne le trouver (où?), qu'une fois corrigées les secondes épreuves. Il est vrai qu'alors il n'était pas des meilleurs.

Empoté et indécis quand il s'agit de baptiser mes propres livres, je suis pour ceux des autres un titreur intrépide et efficace. Je partage cette vertu avec le peintre Alechinsky, mon ami et contemporain, à qui il arriva de publier des recueils de titres. En désespoir de cause je les consulte parfois, mais reviens bredouille de ces parties de pêche. Sans doute n'existe-t-il pas de « taille unique » des titres. Il faut les tailler sur mesure. Un « bon titre » se flaire à une palpitation d'impatience qu'il nous donne, à ce brisement de cœur qui ressemble à notre émoi quand surgit, inattendue, la femme aimée. Vous savez que vous tenez un bon titre quand le livre brûle d'être écrit. Il se glisse d'ailleurs sous cette impatience, parfois, d'étranges marchandises. Mais peu importe : un bon titre n'habille jamais un texte tout à fait exécrable.

AU GUICHET

ENVIRON 1980. Nous sommes en Suisse et c'est l'été. Sans doute ai-je mon apparence hirsute de la belle saison, et l'air épuisé que me donne le repos. Du chalet, je suis descendu à la gare de T., où je fais la queue devant le comptoir des réservations.

L'attente se prolonge. Le préposé opère en trois ou quatre langues, comme le tourisme en Suisse l'exige, et prodigue une courtoise et inépuisable méticulosité. Il suggère les itinéraires, calcule les tarifs avantageux, les horaires agréables, conseille ou déconseille un arrêt, etc. Le client dont il s'occupe est aux anges – les autres languissent. Nous avons affaire à l'archétype de l'employé modèle, race partout proche de l'extinction, sauf peut-être outre-Jura. Sa minutie, ses scrupules, sa lenteur, son élocution soignée, son sérieux : tout en lui illustre un zèle qui confine au perfectionnisme. Qu'y a-t-il au-delà ? quel vertige ? L'observant, et bientôt fasciné par ses manières, son vocabulaire, sa mimique, par le sentiment, aussi, qu'il donne de régner, non sans un certain agacement apitoyé, sur son territoire bureaucratique et sur le petit troupeau des voyageurs qui le guettent, je me demande bientôt quel mot la psychiatrie a inventé pour désigner le mal dont visiblement souffre notre garçon. Un mal qui n'est que l'excès, la congestion, l'hypertrophie de qualités estimables et rares. Il est blond, le cheveu court, les lèvres minces. Il n'a pas trente ans.

Quand arrive enfin mon tour je me suis juré d'être d'une brièveté, d'une précision et d'une simplicité exemplaires, afin de quitter rapidement la gare de T. et de me faire aimer des voyageurs agglutinés derrière moi. Les mots qu'il faut, rien qu'eux, et même une pointe d'accent vaudois :

– Une première Paris, simple course, non fumeur, pour demain, s'il vous plaît.

On ne peut pas faire mieux, plus concis.

Le préposé me semble n'avoir pas levé les yeux sur moi. (Je comprendrai dans un instant que c'est sa coquetterie.) Il libelle déjà mon billet. Voix brève :

– Parfaitement. Quelle réduction ?

– Aucune.

– Plein tarif ? Mais non ! Quelle réduction ? Montrez-moi votre carte...

– Pas de carte... Pas de réduction...

Je sens la sueur mouiller mon front. Derrière moi, on tend l'oreille. Soudain le regard de l'employé se lève, sévère, impatient, sans que sa tête, penchée, ait bougé. Je me sens enveloppé, jaugé, mesuré. La voix est de plus en plus pressée :

– A votre âge, monsieur, *on a* une réduction.

– Je vous assure...

– Une carte vermeil, peut-être ? Un permis troisième âge ? Quoi d'autre ? Vous êtes belge... français ?

Les questions se télescopent, se déploient, se referment, n'en font qu'une : les Vieux, d'où qu'ils viennent, monsieur, payent moins. Alors ? Pour quoi voulez-vous vous faire passer ? Pour qui ? Qui espérez-vous tromper ?

Dans mon dos les gens s'impatientent, qui trouvent oiseuse cette discussion. D'habitude on se bat pour payer moins, pas pour payer plus.

– Finissons-en, dis-je, comme si une réplique noble devait clore plus vite le débat.

Offusqué, le préposé modèle se décide enfin à m'établir un billet et une réservation à plein tarif. Sa lenteur et la façon dont le stylo griffe le papier disent assez son irritation. Je paye. En me rendant la monnaie il lève une seconde fois le regard vers moi et me considère avec incrédulité. Il brûle d'envie de me demander mon âge, tant il est sûr de son fait, mais il n'ose pas. Enfin, comme on dit adieu dans une histoire d'amour avortée, il m'énumère les diverses démarches à effectuer pour obtenir des réductions substantielles, certaines qui ne dépendent même pas de cette vieillesse à quoi je prétends absurdement échapper. Il ne lâche pas un billet de vingt francs qu'il me doit, afin de m'obliger à l'écouter.

Quand je m'enfuis, n'osant pas lever les yeux sur la file d'attente, détournant le visage comme un prévenu célèbre traqué par les photographes – moi c'est mes rides que je cherche à cacher, car elles donneraient raison au maniaque – j'entends sa voix, sèche, irritée :

– Allons, pressons, nous perdons du temps. Monsieur ?...

LA SEULE LIGNE DROITE

Nous aurions toujours pu faire plus, faire mieux. Rares sont les circonstances, les actions, les travaux, les affrontements où nous avons donné le tout de notre force ou de notre talent. Aussi, la plus grande amertume des bilans, qui est de constater la disparate entre nos diverses victoires, la distance entre nos espérances et nos conquêtes, doit-elle être nuancée. Pourquoi? Parce que nous avons été si avares de nos moyens. Nous n'avons pas tout tenté, ou si rarement, pour améliorer un texte, mieux comprendre un enfant, prolonger un amour. Nous avons été négligents, ou satisfaits à trop bon compte. Nous n'avons pas grignoté ces centièmes de seconde qui font les triomphes. Nous avons joué à l'économie des parties dont nous savions l'importance. Floués? Sans aller jusqu'à dire que nous l'avons bien voulu, avouons que nous aidons le destin à nous voler. Ce « nous » me gêne. Même si la présente réflexion ne se nourrit pas seulement de mon expérience, le pluriel lui confère un caractère de généralité que je n'ai pas vérifié. Et pourtant! Des peintres, des écrivains : je les vois rester en deçà des pouvoirs de leur talent, ou se contenter de ce que leur talent produit spontanément, sans l'affecter de ce coefficient de dilatation et d'intensité que la rage, la pugnacité, la volonté de se surpasser pourraient mettre à leur disposition. Ils s'arrêtent en chemin.

L'athlète, seul, condamné à être le meilleur et à le prouver, chiffres en mains, ne s'abandonne jamais à cet infime relâchement, ou ralentissement, qui le vouerait aux seconds rôles. Passer le premier la ligne d'arrivée, franchir la barre placée le plus haut : aucune tricherie possible avec des prouesses d'une évidence si éclatante. Les littérateurs ne se retrouvent jamais au coude à coude, comme des coureurs à la fin d'un cinq mille mètres. Chacun de nous court dans son coin, et aucun chronomètre ne nous départage. Nous ne faisons la course qu'aux honneurs ou aux tirages : vous sentez bien que nous changeons de sujet. Même sans pénétrer dans le secret des cabinets de travail, je doute qu'on voie jamais à l'écrivain le masque tragique et superbe du skieur ou du sprinter *s'arrachant* à l'arrivée d'une compétition.

Je me rappelle Jean-Claude Killy, dans un slalom de rien du tout, à Val-d'Isère, en 1965 je crois. Ce n'était qu'une course locale et il n'était pas encore le champion qu'il allait devenir l'année suivante. Je devais au privilège d'habiter chez ses parents celui d'être placé sous la banderole de l'arrivée. Dans l'instant insaisissable où il franchit la ligne, à deux mètres de moi, je pus mesurer l'extraordinaire violence de son désir, à sa façon de se jeter en avant, à son déséquilibre prodigieux – quelques foulées de « pas des patineurs », à cette vitesse! sur le faux plat – et sur son visage je vis le rictus superbe, cette espèce de cri muet que l'effort ultime sculpte avec les traits d'un homme, auxquels il donne leur apparence la plus noble.

Près d'un quart de siècle plus tard, dans une émission de télévision, je vis et entendis Killy parler de ce dépassement de soi, de cette bataille pour les centièmes de seconde sans laquelle il n'y a pas de champion. Il ne disait rien que d'attendu, qu'un autre sportif aurait pu dire, mais il le formulait avec une passion batailleuse, ombrageuse, et sur son visage si beau, si maigre, je reconnaissais les rides qu'y avaient dessinées les grimaces de la victoire.

D'un coup, la scène de 1965 jaillit de l'oubli, et avec elle cette question qu'elle m'avait imposée : que serait pour un créateur l'équivalent de ce finale forcené ? Et l'équivalent de l'entraînement, de la musculation, de la souffrance que coûtent les progrès et l'affinement du corps ? Quand et comment exigeons-nous de notre savoir-faire une étape, un sacrifice, une contrainte supplémentaires ? Ecrivains, ne travaillons-nous pas trop souvent comme les bureaucrates d'une prestigieuse société à laquelle, il y a longtemps, nous avons conquis le privilège d'appartenir ? Ecrivain public, comme on dit fonction publique. Sans le risque – sensiblement réduit, avec le temps – d'une critique féroce et d'un insuccès, sans cette impression de quitte ou double dont nous ébranle, heureusement ! chaque publication nouvelle, nous ressemblerions à des fonctionnaires, avec nos tables, nos gommes, nos stylos, notre rythme à petits pas, notre horlogerie qu'un souffle détraque. Voilà la peur qui me harcèle : de n'avoir été qu'un écrivain à la pépère. D'avoir, quand ça risquait d'aller trop vite, *levé le pied*.

La contemplation des grands furieux de la famille – Balzac, Flaubert, Proust, Céline – aggrave ma peur. Comment oser se comparer à eux ? Je sais bien que je n'ai jamais franchi cette ligne qui ne sépare pas seulement des degrés dans le talent, mais des races différentes d'écrivains. Des races ?

On sait, du côté de Memphis ou de Richmond, qu'il ne suffit pas de se défriser les cheveux et de deux ou trois mariages plus « clairs » pour « franchir la ligne »… Je crains, hélas, que les écrivains ne soient blancs ou noirs – irrémédiablement, lions ou bœufs, lions ou singes, forcenés ou trotte-menu. Il est trop tard, si je puis emprunter une expression aux séries télévisées, pour *allumer le turbo*.

Comme j'aurai travaillé, pourtant !

Il peut paraître difficile de concilier cette exclamation avec ce que j'ai écrit ci-dessus; les deux constatations doivent cependant coexister.

Pour évoquer le (mon) travail d'écrivain j'ai usé de toutes les comparaisons empruntées au labourage, au bûcheronnage, à la menuiserie, à la poterie (hommage rendu à mes ancêtres), et de manière générale à l'artisanat. Je voulais donner ainsi une idée de la lenteur, de la patience et de la modestie que requiert l'écriture. Et tout cela reste vrai. Si l'on devait chercher une seule raison d'avoir de l'amitié pour les écrivains, on la trouverait là, dans l'opiniâtreté et la solitude de leur travail. Mais les honnêtes vertus ainsi évoquées n'ont pas grand-chose à voir avec la déraison inséparable, elle, des dérapages du génie, ni avec cette perte d'équilibre, cette chute en avant que j'essayais de symboliser en évoquant Killy, qui se jetait dans la victoire comme on tombe.

Or, justement, nous ne tombons jamais. *La Chute* est le titre d'un beau livre amer, mais sage. Nous ne manquons d'aucune des qualités paysannes et bourgeoises de la France, mais nous ne flambons pas. Serions-nous faits d'un matériau incombustible ? Je le crains, sans en être tout à fait sûr, mais je suis sûr en revanche qu'il aura manqué, toute ma vie, une heure à mes veilles, une relecture à mes textes, et surtout l'audace de me jeter dans le vide, de tout sacrifier, tout! à l'ambition que je prétendais être la seule ligne droite tirée de ma jeunesse jusqu'à l'horizon de mes jours.

L'HOMME ROMPU

TROUVERAI-JE le secret de rire de ma vieillesse comme j'ai su rire, naguère et autrefois, de mes diverses inappétences, laideurs, palinodies? Saurai-je tourner l'adversaire, et, au lieu de geignements, polir de ces fringantes formules qui firent ma réputation?

Plusieurs méthodes sont concevables. La pudeur, d'abord, tourner autour du pot, éviter d'évoquer le souffle court, le pas incertain, l'hydrocution, le spasme, l'extrasystole panique, les éphélides, les sports un à un abandonnés, la sournoise indifférence aux dames, l'envie de rester chez soi – tout le côté bande-mou de l'âge. Il suffirait d'espérer que les lecteurs garderont présent, à l'arrière-plan de mon livre, ce paysage sur lequel tombe le froid.

Je pourrais aussi, autre musique, chanter les conforts et les conquêtes de l'âge : un peu de notabilité, le pouvoir de se faire entendre, certain je-m'en-foutisme, certaine indépendance (n'exagérons pas), le doux parfum de la déférence qu'il arrive qu'on nous prodigue, et surtout ces instants où notre tête et notre cœur chavirent *parce que c'est trop beau*. Ces moments d'effusion et d'incrédulité, ces élans immobiles surviennent en général devant un spectacle à côté duquel nous serions passés autrefois sans lui accorder autrement d'attention. Ou bien on se fût exclamé, tout à l'envie de faire partager son plaisir. Aujourd'hui, la plus sûre qualité de ces plaisirs est qu'ils se laissent savourer en solitude et en silence. Ce peut être un coin de musée (la salle des grands Bonnard au musée Pouchkine); un lieu de la terre, spectaculaire comme le canyon du Colorado au crépuscule ou discret comme une place de village dans le vignoble vaudois; l'innocence joueuse d'un animal. Ce peut être, bien sûr, une musique, un livre, ou aussi bien l'apparition fugace d'un humain très jeune, très beau. Car la jeunesse et la beauté ne sont pas devenues nos ennemies. Sur ce thème-là on a tenté autrefois de m'escroquer. J'avais fini par redouter de devenir un jour jaloux des libertés et des plaisirs que je ne partagerais plus. Je m'imaginais assez bien en voyeur furieux, en père fouettard ou incestueux, à tout le moins en atrabilaire, en sermonneur. De ces ganaches qui tirent des coups de fusil, en banlieue, sur des gamins. (On peut aussi tirer des coups de fusil dans son cœur, et ne blesser que soi.) Or, rien ne se passe ainsi. Je n'envie rien à la jeunesse et ses bonheurs, auxquels je ne m'intéresse pas à l'excès, me satisfont. Je me figure ses plaisirs sans humeur. Je la vois, ici et là, se fourvoyer, sans intervenir. Je crois même l'aimer davantage qu'autrefois. J'ai dit combien, jeune homme, j'avais détesté les jeunes gens : peur de leur ressembler. Aujourd'hui que ce risque s'est indiscutablement estompé, je vois enfin leur fraîcheur, leurs sauvageries, leurs gracieuses maladresses. Mes chères jeunes filles ne sont plus depuis longtemps – dieu merci! – des proies, mais des spectacles dont je n'ai pas perdu le goût. De la paix est descendue sur tout cela, peut-être comme descend l'ombre, et avec elle. On ne m'avait pas annoncé cette douceur. Elle ne guérit pas les révoltes ni les amertumes de l'âge, elle n'en annule pas les effets, mais elle offre, à la maladie inguérissable, ses répits et sa lumière.

Je pourrais, enfin, me taire. *Never explain, never complain :* recette des grandes fatigues, sinon des grandes âmes. Mais, outre que je n'accepte pas d'être à moi-même un sujet interdit, il me semblerait mentir en n'osant pas me dévisager aujourd'hui dans le miroir que j'ai promené tout au long de ma vie, parfois m'y cherchant, parfois le tendant à des lecteurs, mais toujours, je l'espère, avec assez d'allégresse et de lucidité.

« J'ai été flouée. » L'amère et célèbre chute de Simone de Beauvoir m'a toujours paru, et aujourd'hui plus que jamais, superbe. Peut-on mieux dire, plus sobrement, plus violemment ?

Il n'est pas interdit de trouver ce constat trop viscéral. Ni de sourire devant cette femme libre, célèbre, auteur non seulement de livres importants, mais, si je puis l'assimiler à une œuvre, et pourquoi pas ? d'une relation amoureuse et intellectuelle qui prendra place dans l'histoire des idées en France. Il n'est donc pas interdit de trouver que Beauvoir *en remet.* Vieille histoire. Vues de l'extérieur, les existences paraissent toujours baignées de profits et de privilèges. Si l'on a l'audace de se plaindre de quelque répugnance à vivre, il se trouve tout de suite un censeur pour ricaner : quoi ! il (ou elle) possède une belle maison, une notabilité lucrative, des enfants rieurs, des relations flatteuses et il (ou elle) a le toupet d'étaler des états d'âme ! Quelle complaisance...

Or, on sait que la difficulté d'être n'a rien à voir avec les rentes, les honneurs, ni même la gloire. Elle n'est l'apanage ni des pauvres, ni des riches.

Elle est, dans ses premiers symptômes, une mauvaise pente de la nature, puis elle devient la rançon de la lucidité. Un fauteuil, une cravate, ne rééquilibrent pas ses pernicieux débits. Quand l'âge s'en mêle, accumulant les raisons objectives de se plaindre, et des misères officielles, répertoriées, le pli est pris et nos témoins continuent de nous gratifier de bourrades rassurantes. Le constat de Simone de Beauvoir, ce cri étouffé, cette plainte assourdie et pesante pourrait servir à formuler toutes nos amertumes, et d'autant mieux qu'à sa façon Beauvoir a su éviter de « faire des grimaces ». Rien de plus pudique que son refus de la joliesse, du drapé, des effets de manche et de style.

Puisque j'en suis à évoquer Beauvoir, l'envie me vient de rouvrir un autre de ses livres[1] où elle évoque, dit-elle, « cette part d'échec qu'il y a dans toute existence », et d'y chercher les chutes des trois récits qui le composent, moins connues que la constatation désabusée et célèbre évoquée ci-dessus. Les derniers mots d'un livre, écrits quand l'auteur se sent porté, poussé par tout le poids d'un texte et qu'une espèce d'épuisement lève ses défenses, sont plus révélateurs que les incipit, sur lesquels on glose abusivement alors qu'ils devraient inspirer la méfiance, qu'on les a trop apprêtés, qu'ils manquent parfois de naturel. Voici comment Simone de Beauvoir termine les trois récits :

L'Age de discrétion : « Nous n'avons pas le choix. » *Monologue :* « Vous me devez cette revanche, mon Dieu. J'exige que vous me la donniez. » *La Femme rompue :* « J'ai peur. » Et le titre du recueil est celui de ce dernier récit : *La Femme rompue.*

----

1. *La Femme rompue*, récits, 1967.

Il y a en chacun de nous un homme rompu. C'est celui-là qui s'exprime ici, et qui tente de le faire sans jérémiades et sans oublier, s'il se peut, de rire.

LA PAIX AUX FEMMES

LE père intrépide ou extasié n'a jamais été mon personnage. L'enfance m'intimide ou me harasse : peut-être est-ce la raison pour laquelle, quand je les vois s'épuiser joyeusement à son service et à son amour, je voue aux femmes une admiration respectueuse. Cette attitude, très forte, est en apparente contradiction avec d'autres, habituelles et non moins contraignantes. Est-elle apparue en moi récemment ? Il ne me le semble pas. La nébuleuse de sentiments contradictoires et complémentaires – impérieuse douceur, inflexible dévouement – qui nimbe le couple femme-enfant, après avoir nourri mes rancunes et mes gênes de trop jeune père, m'a fasciné. J'ai toujours trouvé belles, désirables, émouvantes les femmes enceintes. Je les entoure de compliments et de soins qui ne sont pas de seule courtoisie. J'aime leur visage amaigri, leur pâleur parfois tavelée comme par une précoce vieillesse que dément cette impression, si forte, qui émane d'elles, d'absence à nous, et d'être au contraire à l'écoute d'elles-mêmes, retournées vers l'intérieur et toutes brûlantes de leur intime et lente aventure.

J'aime les traits nus, sans maquillage, sans apprêt, qui avouent les effets de la fatigue ou de l'âge. Le « masque de grossesse » est la plus belle métamorphose que puisse subir le visage féminin. Il en reste longtemps quelque chose chez les jeunes mères, une fragilité, une indifférence lasse ou rieuse aux regards d'autrui, un renoncement (qui n'en est pas un tout à fait) aux manèges de la séduction. Une jeune mère est une jeune femme qui a introduit une urgence nouvelle dans la hiérarchie de ses préoccupations. Elle a changé : un flou, un « bougé », une distance l'éloignent de nous. Sur elle les vêtements se posent et tombent autrement que naguère. Le déhanchement qu'imposent à toute la silhouette les gestes pour porter, les murmures et les ploiements qui rassurent, rendent le corps de la jeune mère moins disponible aux loisirs, aux manigances, aux coquetteries. C'est le moment où un homme sera bien inspiré de la traiter avec d'autant plus d'attention et de galanterie qu'elle paraît en solliciter moins. L'idée n'est pas d'une transgression à oser, mais du goût plus fort et presque équivoque que gagne le respect à être manifesté dans des circonstances qui, assurément, l'exigent. Les jeunes mères sont habillées moins « près du corps »; les chemisiers, sur elles, et les chandails flottent, bâillent parfois, révélant une chair plus pâle, plus douce, des seins veinés de bleu. Le plaisir, la souffrance, la joie : désormais elles ont accompli l'essentiel du voyage. L'inconsciente brutalité dont les nouveau-nés rudoient le corps des jeunes mères les rend vulnérables, mais en même temps les enveloppe d'une séduction plus grave, appelle autour d'elles une prévenance plus subtile.

Dans l'instant qu'une jeune mère occupée de ses enfants se détourne d'eux, et, sans avoir rectifié son apparence, jette vers un homme un regard (elle paraît alors étonnée, surmenée, plutôt gaie), son visage et ses yeux sont plus intenses, plus vivants qu'en aucune autre circonstance. Si

l'homme en question aime véritablement les femmes, et non pas soi-même à travers les comédies
de la séduction et de la reddition, c'est alors qu'il
aura envie d'offrir de l'amitié et de l'amour – est-ce
si différent ? – à celle qui l'honore de ce regard.

MITTELEUROPA

Je me rappelle avoir humé, au cours de ce voyage de 1947, un parfum, perçu des images floues, les lambeaux d'un style, qui ne pouvaient pas composer cet ensemble de sensations et de connaissances que nous organiserons plus tard et qui deviendra pour nous le crépusculaire Empire austro-hongrois. Il me sembla, à travers certaines parentés architecturales (d'ailleurs composites et mêlant le gothique, la Renaissance, le baroque et le style Sécession), discerner quel phénomène de civilisation disparate, morcelé, multiple, venait d'être à jamais brisé, voué peut-être à l'oubli, par la défaite allemande de 1945 et les quatre occupations qui, accablant l'Autriche, finissaient d'anéantir ce que le traité de Versailles avait déjà démembré.

Simples intuitions, auxquelles mes vingt ans n'accordaient pas grande importance. Nous étions, il y a plus de quarante ans, extraordinairement ignorants de ce que fut Vienne au tournant du siècle. Nous ne connaissions ni Musil, ni Joseph Roth, ni Schnitzler, ni Elias Canetti. On venait à peine de traduire *La Métamorphose* mais *Le Procès* ne paraîtrait qu'en 1948. Lou Salomé, Alma Mahler : noms inconnus. Je ne suis pas sûr qu'on pût trouver facilement, en 1947, des enregistrements de Gustav Mahler, que le règne nazi avait précipité au fond de la non-existence, ni des reproductions de Klimt ou d'Egon Schiele. Sans doute n'avais-je jeté qu'un coup d'œil négligent sur une ou deux biographies de Stefan Zweig, trouvées dans la bibliothèque de mon père, que je croyais dues à une espèce de Maurois viennois, et j'ignorais son suicide.

Pourtant, malgré ces ignorances, dont la plupart n'étaient pas imputables à ma jeunesse ni à mon inculture, quelque chose flottait, partout où nous allions cet été-là, du passé glorieux, occulté et subversif que n'avaient pas encore broyé les mécanismes de la guerre froide ni le nivellement communiste. Partout, à Prague, en Bohême, en Slovaquie, à Vienne, nous éprouvions le pressentiment de parcourir une société au bord de son anéantissement ou menacée par une mue imprévisible. Nous étions reçus dans des châteaux livrés au sans-gêne des « étudiants » et à leur vandalisme, comme, en d'autres temps, au pillage de la soldatesque. Tout se fissurait, s'écroulerait bientôt. Venaient nous parler des gens entre deux âges fiers d'exercer leur français. On sentait que rien n'arrêterait leur destin, qui déjà s'était mis en marche et avançait vers eux. Un peu trop de cynisme, de nostalgie ou de nonchalance dans le comportement de ces condamnés indiquait qu'ils ne se battraient pas contre l'Histoire, au « mouvement » de laquelle je m'appliquais à croire.

J'essaie, j'ai déjà essayé de reconstituer tout cela, découvertes et réactions, intuitions et ignorances. Mais comment réussir, comme je l'avais compris dans les rues de Bratislava, à rendre vie au garçon que j'étais en 1947, qui observait sans bien les comprendre les soubresauts d'une société moribonde? Trop de connaissances se sont, depuis, superposées à mon inculture d'alors, trop d'œuvres ont capté mon attention et mon plaisir. Je ne puis plus combler le grand trou de l'oubli; j'y ai jeté en quarante années trop de mots, de peintures, de musiques : je ne sais même plus *qui* je cherche à ressusciter.

Je me demande quelle Autriche, quel crépuscule effervescent et pathétique nous ignorons aujourd'hui comme nous ignorions alors les dernières décennies du pouvoir des Habsbourg. Sans doute existe-t-il quelque part, toute proche de notre distraction ou de notre indifférence, une aventure de pensée et de création que nous négligeons et qui révélera demain, à nos descendants, son importance, sa puissance, sa richesse, à côté desquelles ils ne comprendront pas que nous soyons passés, ni qu'on ait pu vivre sans elles. Le jeune homme de 1947 qui allongeait sur la pelouse du château de Hrubá Skála une jeune fille au nom oublié (on ne résiste pas à un blondinet qui transporte jusqu'au centre de l'Europe, dans une valise absurdement lourde, Sartre et Malraux, Montaigne et Camus), ne savait à peu près rien de Kafka, rien de Freud, et se croyait prêt à croire à la révolution. Ce que nous apprenons en une vie, au lieu d'en éclairer les épisodes, les obscurcit : nous comprenons de moins en moins les personnages successifs que nous avons été. J'éprouve de l'amitié pour le jeune homme fantôme qui peut-être m'habite encore, mais il m'est devenu impénétrable. Impénétrable aussi le cavalier fanatique de 1945, le jeune marié fervent et exténué de 1950, l'auteur de *L'Eau grise*, le polygraphe rageur de la fin des années cinquante. Seule une relative proximité me rend intelligible mon passé. Je suis la somme d'une addition dont les plus anciens éléments me sont désormais inconnus. Un mur auquel manqueraient les pierres de la base et qui ne tiendrait debout que par l'illusion de l'habitude. Un quart de siècle usé à crocheter mes poubelles, vider mes tiroirs, piller mes greniers, et la réalité continue de s'estomper dans la brume mouillée des vieilles aquarelles.

LE CINÉMA PERMANENT

L'ÂGE ne dispense pas les éclairs d'une désolation fugace, fragmentaire – brefs avertissements, appels de phares de la lumière noire. L'âge ne nous attaque pas à la façon dont une électricité nous passerait à travers le corps aux seuls instants où quelque tortionnaire capricieux abaisserait la manette du rhéostat. L'âge règne continûment, jour et nuit, solitude et compagnie, maladie et santé, comme un tyran tyrannise, comme éblouit un projecteur en permanence allumé – et l'angoisse, service d'ordre vigilant, est là pour nous empêcher de baisser les paupières.

Je vais, accompagné de mes petites misères, comme une jument suitée de ses poulains : je les regarde gambader.

« Il ne pense qu'à ça. » Oui, comme le jaloux à sa jalousie, comme l'humilié à l'affront, comme l'impuissant à sa débandade. Queue basse.

Je retrouve couverts d'honneurs, de plumes, de places, de croix, les austères censeurs qui jadis et naguère s'étonnaient qu'on pût souffrir d'un certain mal à vivre en possédant des jardins et de beaux amis. Voilà qu'à leur tour ils clopinent et soupirent : Ah, dorures et verdures ne font rien à l'affaire! On les a leurrés. Le ciel est bas, l'horizon, proche. Ces hochets ne sauraient tromper personne. Etc.

Je ne me suis pas habitué à voir les gens changer. J'ai toujours cru que la constance dans les jugements, la persévérance dans les faiblesses, l'opiniâtreté dans les opinions, étaient vertus et donnaient, seules, un style à la vie. Je le crois encore, en vain, entouré d'une débâcle de reniements. Ils retournent leurs vestes comme de grands oiseaux battent des ailes, et cela fait une rafale, un vaste claquement, on dirait de mâchoires, un envol de rires.

L'âge finit toujours par tirer nos vieilles barques sur le rivage où elles étaient attendues. Pourquoi, dès lors, feindre de dériver vers d'autres archipels? La mort épargne à quelques-uns, qu'elle saisit tôt, cet irrépressible retour à la chaîne et à la niche : ils sont les saints de notre calendrier. Pour les autres, quels appétits! quelles digestions! Il faut, les années s'accumulant, s'armer de gentillesse et de gaieté pour ne pas éprouver trop de mépris. On doit avoir l'indulgence vigilante.

Je suis sans cesse, sans répit, sans rémission, sans sursis habité par la peine et la honte d'être devenu ce que je suis, et par la connaissance de ce que je suis appelé à devenir...

— Ah, taisez-vous!

... Une pesanteur m'appelle, m'entraîne. Je sais à l'avance le scénario et les dialogues. Jusqu'au bout, le cinéma sera permanent.

UN CHIEN À LA CHAÎNE

Vers mes trente-cinq ans, un médecin m'examina et me dit : « Si vous voulez maigrir, maigrissez maintenant. Dans quelques années votre poids ne sera plus réversible. »

A partir de quel moment le destin n'a-t-il plus été *réversible?* A partir de quelle fatigue, de quelle négligence, de quel égarement, de quelle *fausse route* serait-il devenu présomptueux d'espérer ou de négocier un changement de la vie? (A la condition, encore, d'être resté assez vigilant pour avoir éprouvé le besoin de ce changement...)

Avec l'œuvre comme avec le poids, la santé, le décor, l'ambition, on croit toujours avoir le temps de s'y mettre, de remédier aux incommodités, d'améliorer les détails. On est depuis longtemps devenu sa propre caricature qu'on commence à fonder des espoirs sur la chirurgie esthétique. Ecrivant cela, je tourne autour d'une seule stupéfaction qui m'occupe, me harcèle sans que je parvienne à croire à la révélation qui l'a provoquée et la nourrit. Je sais qu'il est trop tard, non pas pour « repartir de zéro », je ne suis pas si naïf, mais au moins pour incliner ma course de façon significative, désarmer les incrédules et rebondir ailleurs, haut, autrement. Il est trop tard, tout me le dit, me le prouve, et dans le même temps force m'est de reconnaître que *je ne le sais pas*. Découragement abstrait, formule de rhétorique, qui sembleraient relever de la coquetterie, jusqu'à ce que je m'impose une épreuve au pied de laquelle, comme d'un mur, je mesure ma faiblesse, ou, pour ne pas dramatiser, les limitations de vitesse, de puissance, d'invention, qui m'engourdissent et me condamnent à ressembler à moi-même.

Je suis un chien à la chaîne. On voit dans les fermes de ces aboyeurs faméliques et féroces dont on a attaché la corde, par un anneau, à un fil de fer tendu entre deux murs ou deux arbres. On croit, quand le chien s'élance, que sa fureur va le porter loin et lui permettre de sauter enfin à la gorge du facteur ou de quelque autre proie longtemps convoitée. Mais, arrivé au bout de sa glissière, il est brisé dans son élan d'un coup brutal qui le jette à terre et l'étrangle. Peu à peu une pelade le marque au col, bientôt une plaie.

Quelle pelade, quelle meurtrissure marque l'écrivain quand il a trop tiré sur sa laisse et raté trop d'exquis égorgements ?

Mon meilleur livre a toujours été le prochain ; le moins bon, celui auquel je travaillais. Sensations banales. Si je cherche à les préciser, je dirai ceci : on porte sur ses propres textes des jugements successifs, et l'ordre de cette succession ne varie guère.

Un livre à l'état de projet, surtout quand on en est aux prémices, possède de l'ampleur, une simplicité harmonieuse. On y entend de ces musiques qui gonflent un cœur de sanglots. On l'évoque le soir, en marchant dans des paysages aux horizons vastes : voix brève, ton serein, compagne attentive.

Ensuite, au fur et à mesure que le projet se

précise, que l'intrigue se noue, que les personnages sont affublés d'une identité et d'une image, le livre s'éloigne. On croit se rapprocher de lui en même temps que du matin où l'on commencera à le rédiger : il n'en est rien. Des flous apparaissent, tels des embus sur une peinture, et les invraisemblances, et cent raisons de se détourner d'une entreprise si incertaine. Vient la rédaction. L'élan des premières pages, leur caractère, souvent, d'exploit ou de provocation, la volonté de s'emparer du lecteur comme au lasso, trompent l'écrivain. A défaut de jubiler, il se rengorge, il retrouve un peu de l'euphorie conquérante des commencements.

Suit un long tunnel. Il arrive qu'on en distingue, au loin, ou qu'on croie distinguer l'issue lumineuse; mais le plus souvent des courbes, des éboulis laissent l'écrivain dans le noir et la solitude. Non seulement il ne croit plus à ses chances de terminer le livre, mais il se prend à le détester. Chantier sans ordre ni logique. Il se dénigre, ricane, parle de son travail comme d'un risible balbutiement, de soi-même comme d'une ruine, d'un gâte-mots, d'un précoce décrépit. S'il s'interrompt un moment pour relire un de ses anciens livres, il lui trouvera des qualités inespérées, ensorceleuses. Toute comparaison avec ce qu'il est devenu tournera à sa confusion. Il était un ange, un virtuose – il n'est plus qu'un tâcheron.

S'il est parvenu à traverser cette jungle obscure, suintante, hérissée de plantes vénéneuses, infestée de larves et de maladies, il finira, quelque jour, par boucler son texte – et parfois plusieurs années auront passé – devant lequel il ressentira une nausée orgueilleuse. Il le détestera, mais comme on déteste ses enfants : en propriétaire désespéré. Nul écrivain ne peut considérer un manuscrit terminé, classé, sanglé, pesant, sans un peu de satisfaction bien bestiale, bien grossière. Fatigue et gloire d'avoir éjaculé, longue besogne, spasme, tristesse chaude. On continuera de trouver le livre mauvais, et de le dire, mais déjà on ne tolérera plus sans irritation qu'autrui porte sur lui une appréciation réticente – pas même : nuancée. Je me les sers moi-même avec assez de verve, mais je ne permets pas... Ambivalence absolue de la sensibilité, du jugement, dans ce moment d'après la création. Telle page jugée illisible le mois précédent sera défendue, bec et ongles, virgule à virgule, contre les velléités épuratives du correcteur. On déteste encore son texte mais on se sent désormais solidaire de ses imperfections.

À l'étape suivante, qui est l'avant-dernière, le manuscrit est devenu livre. Il est publié, c'est-à-dire rendu public. Cette interminable et confuse et obscure mêlée privée est enfin exposée aux regards, aux opinions, aux commentaires. L'auteur, sous les caresses et sous les coups, est conduit à adopter la même attitude : faire front. Comme un chat, voluptueusement, qui se laisse peloter, ou comme le même, dos arqué, fourrure hérissée, qui crachote et griffe. Ainsi s'explique-t-on avec les journalistes quand ils vous tarabustent. On est alors marié avec son texte, pour le meilleur et pour le pire. Peut-être le pire est-il aussi le plus excitant.

Ensuite commencent la longue descente du texte à l'oubli (attention, pas de trémolos!), son éloignement, son effacement progressif de la mémoire. Quelques rappels – publications ici ou là, nouvelles collections, traductions – obligent l'auteur, de loin en loin, à revenir saluer sur le devant de la scène. Pour un instant, et le public est clairsemé. La question ne se pose plus pour l'écrivain de savoir s'il aime ou non son livre : peu à peu il l'oublie, il le confond avec d'autres qu'il a publiés autrefois, il ne sait plus au juste quel en est le contenu. Cette

134

brume est si épaisse qu'en toute bonne foi il peut récrire, mot pour mot, une phrase déjà écrite qui s'était engourdie dans un coin de sa mémoire, ou raconter un épisode déjà mis en scène dix ou vingt ans auparavant, ou ressusciter un personnage qui hantait, sous un autre nom mais presque sous la même apparence, une de ces épaves littéraires que le sable, lentement, recouvre, et que visitent les poissons. Il ne faut peut-être pas accorder trop d'importance ni de passion à tout cela.

Comme je l'ai noté ci-dessus, il peut arriver que dans le désœuvrement du travail à un nouveau livre (un de ces moments où, plutôt que de roupiller derrière sa porte close, l'écrivain en panne préfère feuilleter un de ses anciens forfaits), on relise dix ou vingt pages d'autrefois. Disons-le tout net : elles sont superbes. Peut-être parce que les vieilles photos émeuvent toujours; peut-être parce que la lecture, se coulant dans le moule de l'ancienne écriture – moule dont la secrète forme continue d'habiter notre inconscient – produit en nous une sensation de déjà-lu, de familier confort, presque de béatitude. Que c'est beau! Que c'est naturel et fluide!…

Bien entendu, ce miracle ne peut avoir lieu que tous les dix ou vingt ans. Se relirait-on une seconde fois le lendemain que le vieux dégoût resurgirait.

Il faut imaginer cette succession de sentiments contradictoires – enthousiasmes, paresses, répugnances, émerveillements – renouvelée autant de fois qu'on a écrit de livres et qu'on éprouve à leur endroit une curiosité, chaque processus en recoupant et recouvrant d'autres, des réactions opposées s'annulant ou se complétant, l'ensemble finissant par composer une grille, un réseau d'incertitudes et de lassitudes posé, pour chacun d'entre nous, sur son œuvre passée, et la rendant d'année en année plus énigmatique, lourde à porter, difficile à prolonger.

C'est donc de *cela* que je parle, de cette énigme, de ce poids, de ce blocage, quand je porte sur mon travail un jugement d'ensemble et que je dis : à partir de quand la partie a-t-elle été jouée? A quel moment l'impossible est-il devenu inaccessible?

L'OR DE LA LOIRE

J'ai dit l'acharnement des conseilleurs à écarter de mes livres les titres réputés *impossibles*. A croire qu'il existe en la matière un critère d'élégance, d'efficacité ou de bon goût. Ceux qui me plaisent, il faut le confesser, ont souvent quelque chose de trivial. Ainsi en était-il de celui-ci, que les sarcasmes et les rires outrés rejetèrent : *Un pou dans la fourrure*. (Et pourtant comme je me voyais bien, à ce moment-là de ma vie, en morpion de zibeline...) Ou de cet autre, *Le Lard*, auquel je rêve sous les moues offusquées. Il y eut aussi *A défaut de génie, Le Bras d'honneur, Le Papier*, dix autres. Je ne les cite que pour le plaisir de l'illusion : il me semble les voir apparaître un instant sur une couverture. Sans doute aussi sont-ils aux couleurs que, tout à fait libre de mes sujets et de mon ton, je choisirais pour rehausser ces esquisses.

D'autres titres, *caressés* comme on fait, dit-on, les projets, sont au contraire accueillis avec faveur et ferveur : élégiaques, ou tapageurs, ou parfumés de gravité. Ceux-là, au dernier moment, c'est moi qui les repousse. Je n'aime pas être trop bien vêtu. Et les mérité-je ?

Il y a fort longtemps que *L'Or de la Loire*, titre apprécié, jolie musique française, etc., me brille dans la tête. Voici l'histoire de son apparition.

Depuis qu'à vingt-six ou vingt-sept ans j'avais failli subir la tyrannie enviée, farceuse et subtile de Jean Paulhan, je m'étais écarté de lui, prudemment. (Bêtement, peut-être?...) Assez loin pour ne plus risquer de glisser sur les pentes qu'il savonnait à plaisir; pas assez pour le perdre de vue et cesser de l'aimer. Ne prêtant plus le flanc aux trouvailles d'une innocence trop savante pour moi, j'avais bientôt découvert en lui un autre homme, d'une générosité grave et discrète, d'un bon sens rigoureux. J'aimais lui poser des questions. A tort sans doute, il me semblait ne plus trouver trace dans ses réponses des perfides paradoxes qui m'avaient fait le fuir.

Je lui demandai un soir s'il avait vraiment été chercheur d'or. Il me répondit que oui.

– Où cela?

– A Madagascar et en quelques autres lieux.

– Dans tant de lieux? Beaucoup de rivières sont donc aurifères?

– Oh, oui! me répondit Paulhan. Elles le sont toutes. Il suffit d'être très patient... Tenez, par exemple, la Loire...

Cela avait été dit de sa voix caressante, flûtée, où je trouvais moins d'accent nîmois que de cette légèreté aérienne qui ne surprenait pas moins dans le dandinement funambulesque qui lui servait de démarche. Comment était le regard? Je ne m'en souviens plus. Etonné, ailleurs, et d'une inexorable urbanité, probablement.

La métaphore était claire, et dans l'instant elle me frappa. Pouvait-on donner plus simplement leçon plus grave? J'avais trente ans et j'étais en train de gâcher mes chances. Pétarades, feux de broussaille. Paulhan m'avait regardé vivre et il m'expliquait, à mi-voix, que tout au bout d'un lent travail, silencieux, opiniâtre, on trouve de l'or jusque dans les ruisseaux, jusque dans les fleuves assoupis, et que point n'est besoin d'affronter les torrents pour devenir écrivain.

Dans *Paris est une fête*, dont certaines pages composent un admirable savoir-écrire, Hemingway conseille-t-il rien de si différent? Dire les choses les plus simples avec les mots les plus simples. De quoi faire rire les plumes fringantes! Pourtant, cette banalité, cette vérité, ce naturel, quelle galère!

Si je n'ai jamais intitulé un de mes livres *L'Or de la Loire*, c'est qu'aucun n'était assez modeste, assez patient pour mériter le titre. Nous avons tort de laisser nos rêves souffrir de gigantisme. A quoi bon tenter d'écrire « un grand roman » (par quoi en général on entend un mille-feuilles)? Il suffit d'écrire mieux que personne n'importe quel roman. Il suffit d'écrire n'importe quel roman comme jamais encore on n'en écrivit. Il suffit d'être loyal et précis. Est-ce assez clair? Il y a peu de louis et de doublons en littérature, moins encore de lingots. As-tu entendu la leçon, chercheur d'or? Et de quel chercheur d'or attendre aujourd'hui la leçon?

LES GESTES

On met du temps à s'en apercevoir. J'étais un gamin aux genoux couronnés. A douze ans je suis tombé, d'un quai, dans la Seine. Plus tard je devins un grand renverseur de soupières et de verres de vin. Maladroit, donc, à la joie de mes enfants. Pour dire que je n'ai jamais eu le doigté d'un prestidigitateur. Mais il s'agit ici d'autre chose, qui monte furtivement à l'assaut de notre superbe, l'ébranle, la ronge de façon si subtile qu'on peut ne rien voir, qu'on ne veut rien voir, rien comprendre, jusqu'au jour où le geste le plus familier semble se refuser à nous.

Des exemples? Faire glisser (ce même geste qui, accompli par certaines gens et accompagnant certains mots, exprime péjorativement l'amour excessif de l'argent), faire glisser, donc, par un mouvement du pouce, des pièces de monnaie de la paume à la pliure de l'index afin de les poser sur un comptoir. Réussir un bricolage que naguère on expédiait en sifflotant. S'asseoir en voiture du mouvement désinvolte et vif que l'on a pratiqué pendant quarante ans. Un jour, pour la première fois, on se cogne la tête, on coince son genou sous le volant, on grimace, au bord du tour de reins. En quelques mois, à une vitesse divertissante tant elle est spectaculaire, excessive, tout se bloque, grince, s'ankylose. Trois marches, un talus, des aiguilles de pin, une valise à porter, une échelle en haut de laquelle monter : on est soudain la caricature de soi-même. On esquisse encore, au même rythme que toujours, des gestes si ordinaires, et voilà qu'ils se transforment en autant d'aventures hasardeuses. On refuse l'évidence, on recommence, on s'obstine, encouragé d'ailleurs par des rémissions, des retours de forme, des moments où le corps semble redevenir égal à soi-même. On projette une longue marche, une croisière bretonne, huit jours à la neige. Arrivé au pied du mur, qui est en général le bas ou le sommet d'une pente plutôt raide (il me semble n'avoir rien tant aimé, ma vie durant, qu'escalader des montagnes ou m'en laisser glisser), on découvre que chacun des centaines ou des milliers de gestes qu'on va devoir accomplir, et qu'on accomplissait auparavant sans s'en apercevoir, va coûter une décision, un bref péril, une suite de souffrances minuscules dont l'accumulation invisible, insoupçonnable, transformera en corvée ou en épreuve, selon l'intensité de la douleur, ce qui était jusque-là désiré comme un plaisir. Bien sûr, donner le change ! Masquer la maladresse sous des blagues. Jouer les têtes de Turc, être le zigue que gentiment l'on moque. En rajouter, tirer vers le comique ce spectacle qu'il serait si doux de mettre en scène dans les tonalités émouvantes...

Mais il est rare que la comédie atteigne à ces excès publics. Le plus souvent elle se joue dans l'intimité, la solitude, l'indulgence conjugale ou familiale, et l'on n'a pas de meilleur rôle à y tenir que la vaillance bougonne, et tant pis, au fil des ans, si l'on finit par affronter chaque jour dix supplices dérisoires que notre pudeur et l'indifférence des nôtres auront rendus invisibles.

SUR LE RETOUR

L'EXPRESSION signifie d'abord qu'on s'apprête à s'en aller pour rentrer chez soi. Elle a glissé à un autre sens : être sur le retour d'âge, commencer – continuer – de vieillir. Je ne peux m'empêcher de l'entendre autrement encore et de lui faire dire, à mon usage, que me voici arrivé à ce moment de la vie où l'on *retourne* aux souvenirs, aux lieux, aux livres, aux êtres de son passé. Certains de ces retours sont volontaires, et volontiers orchestrés; d'autres vous cueillent par surprise, avec leur goût de revenez-y, leur insinuante amertume, ce haussement d'épaules qui solde les impressions fugitives ou indicibles.

Le retour à Bratislava était à demi volontaire : rien ne m'obligeait à accepter cette mission des Relations culturelles, ni à être présent pour la publication d'une de mes traductions, moins encore à quitter Prague pour aller jusqu'en Slovaquie. Ce n'est que déjà pris au piège des réminiscences et de l'oubli que me vint l'envie de forcer ma mémoire. Par nature, je suis peu enclin à la nostalgie. Je n'ai jamais répondu aux lettres d'anciennes amoureuses qu'émoustillait le projet d'une tasse de thé en ma compagnie. Merci bien! Deux fois j'ai tenté de retourner à Arpaillargues – cette maison dont j'avais fait un livre où je l'avais baptisée le Lossan. Une fois, en novembre, le village était désert et la grande demeure me parut hostile, fermée. Un coup d'accélérateur me sauva au dernier moment de la tentation. Une autre fois, dans la touffeur d'août, j'avais ralenti, je m'étais même arrêté, sans quitter le volant, au milieu de cette rue qui coupe en deux la propriété, d'où je pouvais voir, à ma gauche, des gens assis dans des fauteuils blancs, sous des parasols italiens, bon genre, et à ma droite une piscine bleue où plongeaient des jeunes filles. Images aussi colorées que celles de novembre avaient été grises. J'étais reparti, lentement, sans faire ronfler le moteur de la voiture, mon cœur tout palpitant d'anecdotes et de chagrins.

Je n'écrirai jamais un de ces romans auxquels le désenchantement et le mystère des retours donnent un chatoiement que j'ai tant aimé, par exemple, dans *Brideshead Revisited*, d'Evelyn Waugh (titre justement devenu en français « *Retour* à Brideshead »), ou dans l'unique nouvelle de Scott Fitzgerald que j'eus l'occasion (et l'audace) de traduire, *Babylon Revisited*, à laquelle je fus désolé de ne savoir pas rendre le frémissement qui me captivait dans le texte américain.

Aussi ne me vient-il aucun désir d'évoquer tels voyages, telles visites inopinées et indiscrètes de maisons d'autrefois : j'ai fait large usage, sous d'autres formes, des sentiments que brasse cette façon de *remuer la bouteille*. Une seule de ces expériences mérite peut-être récit, un certain retour au Caire, parce qu'il ranima des souvenirs sur lesquels il me semble avoir fait silence, et que sur ces souvenirs règne un homme qui me fascina : Louis Massignon[1].

1. J'hésitais à écrire ces quelques pages, pour lesquelles j'avais pris des notes succinctes, lorsque je reçus un petit ouvrage de Daniel Massignon,

A la fin de 1949, j'avais été désigné par l'abbé Rodhain, secrétaire général du Secours catholique (le président en était l'ambassadeur François Charles-Roux, dont la fille, Edmonde, devait devenir une amie très fidèle), comme secrétaire d'un comité d'aide aux réfugiés arabes de Palestine. Ce comité, pour autant que j'y comprenais quelque chose, était une émanation, à la fois, du ministère des Affaires étrangères et des bureaux de l'épiscopat. (Mgr Feltin était alors archevêque de Paris, et Robert Schuman, ministre.)

Après quarante années, mes souvenirs s'estompent. Je me rappelle un journaliste catholique, Robert Barrat, qui fut un temps, avec sa femme Denise, de nos amis. Plus tard il contribua à entraîner François Mauriac au Comité France-Maghreb, où officiait aussi Massignon, ce qui fit de Mauriac en pleine gloire un des hommes les plus détestés par la bourgeoisie française. Je revois aussi un publiciste, Louis Salleron, un diplomate à la voix dans le masque, et bien sûr Mgr Charles de Provenchères, archevêque d'Aix, et son frère le chanoine, que je devais accompagner quelques mois plus tard au Proche-Orient. Je me souviens de réunions, rue Barbet-de-Jouy, à la résidence de l'archevêque de Paris, où autour d'une immense table se nouaient et se noyaient des conversations dont j'avais parfois du mal à percer le sens secret. J'avais vingt-deux ans et j'étais balourd, peu frotté encore de ce monde de politique et d'Eglise dont, au cours des mois qui suivirent, je devais deviner quelques subtilités. C'est rue Barbet-de-Jouy, où de

fils de Louis, intitulé : *Le Voyage en Mésopotamie et la conversion de Louis Massignon en 1908* (Islamochristiana, Rome, 1988). L'opuscule était ainsi dédicacé : « A F. N. en souvenir de ses rencontres avec mon père. » Le signe était évident, qui me commandait de rédiger ce chapitre.

la rue Monsieur il était venu en voisin, que je fus présenté à Louis Massignon.

Les jours qui précédèrent Noël 1949 je me retrouvai à Bethléem, logé dans une cellule de l'hôpital français. L'établissement était dirigé par le Dr Champenois, fils du Champenois qui, aux alentours de 1900, imprimait les merveilleuses affiches que Mucha dessina pour Sarah Bernhardt, dont quelques exemplaires, depuis vingt-cinq ans, nous suivent de maison en maison. Un champion de tennis, en les collectionnant, les a aujourd'hui rendues fameuses et hors de prix. Les Années passant et mêlant toutes choses, je devais encore retrouver, à la télévision de Marseille, le fils du Dr Champenois, puis en 1987 sa petite-fille, en naïade, surgie de la mer non loin du rocher d'Amphitrite, à Chypre, où elle ouvrit de grands yeux quand je lui récitai sa généalogie.

A l'hôpital de Bethléem comme dans tous les lieux où nous nous rendions, on vivait dans la perpétuelle odeur sucrée du pétrole que brûlaient de petits poêles mobiles, seul chauffage disponible dans ce pays qui n'avait pas prévu les hivers. Il en reste dans mon souvenir comme une mollesse entêtante.

J'eus, tout au long de ce voyage, mon content d'ambassadeurs et de présidents, de prélats et de politiciens. Conciliabules, courbettes, bobards, cynisme : j'étais à belle école. Je compris vite que les pays où avaient fui les « réfugiés arabes de Palestine » dont nous venions « nous occuper » (comment, au juste?... Il s'agissait de faire « adopter » l'hôpital de Bethléem par « les catholiques de France »), que ces pays, donc, ne feraient aucun effort pour les assimiler. La charité internationale les nourrissait? Les pays arabes l'acceptaient. Mais, en laissant ces centaines de milliers de pau-

vres gens piétiner la poussière et la boue des camps
– moitié campements bédouins, moitié improvisa-
tions onusiennes et paramilitaires – n'était-ce pas
les troupes de la future reconquête que l'on prépa-
rait ? Ces gens, à tort ou à raison affolés de peur,
de propagande, d'ancestrale méfiance, avaient fui
au printemps 1948 les territoires dévolus par
l'ONU à l'Etat hébreu, qu'abandonnaient les
Anglais et où s'étaient déroulés les combats entre
Arabes et Israéliens dès l'indépendance proclamée.
A la fin de 1949 la situation était à peine stabilisée :
on tiraillait encore, à vue, sur la ligne de cessez-
le-feu. Liban, Syrie, Jordanie, Egypte : partout me
frappait, dans les discours tout au moins, la haine
pour Israël. Un âne eût compris que le conflit n'en
était qu'à ses débuts. Mais comment aurions-nous
pensé que quarante années plus tard les passions
seraient exacerbées, que deux guerres auraient
passé sur ces terres calcinées, que la douce Bey-
routh où l'on nous fêtait à la Résidence des Pins
croulerait sous les bombes ? Partout aussi me frappait – autant dans les silences ou les sourires de
nos diplomates que dans les récits, parfois naïfs,
parfois belliqueux, de nos religieux – la virulence
avec laquelle la France avait pris parti. « Le Quai,
par tradition, est pro-arabe... » m'expliquait-on à
mi-voix. On faisait remonter cette dilection au
royaume franc de Jérusalem, aux Capitulations,
que sais-je. (Là encore, comment aurions-nous
supposé que cinq ans plus tard...) Il me semblait, à
certains détours des conversations, renifler des
relents du XIXe siècle et de Vichy. On accommodait
notre catholicisme à de drôles de sauces. Le soir je
tournais tout cela dans ma tête, je songeais à
« prendre des notes » (que j'oubliais de rédiger), et
j'avais grand-peur de me laisser rouler dans la
farine. Mes édifiants chrétiens parlaient des Juifs
d'une façon qui ne me plaisait guère.

C'est à Bethléem que je revis Louis Massignon.

Il avait à cette époque soixante-cinq ans. Grand, mince, vieilli sur l'os. Son visage, couvert de rides minuscules comme dessinées à la plume en hachures fines, avec des yeux gris, me semble-t-il, était très beau. Il ne quittait pas un costume noir, une chemise blanche, une cravate noire, d'une austérité que je n'ai vue qu'à de vieux protestants cévenols et genevois. A Paris, à ma surprise, il portait un béret enfoncé sur le front; en Orient, le keffié blanc à motifs rouges que les photos d'actualité, depuis quelques décennies, ont popularisé.

Le soir du 24 décembre, je ne sais plus comment il se fit que je partis seul avec Massignon pour la basilique de la Nativité, où devait être célébrée une messe de minuit.

La vaste église était bourrée de ces fonctionnaires internationaux que l'après-guerre dépêchait aux quatre coins de la planète : idéalistes, débrouillards, bien payés, anglophones et ne détestant pas jouir de la vie. Juchés sur les bancs, accrochés aux soubassements des colonnes, ils photographiaient, bavardaient, filmaient, de sorte qu'il faut imaginer la scène qui va suivre dans le nasillement des voix anglo-saxonnes, les éclairs des flashes, le ronronnement des caméras, la chaleur des cierges, le roulement intermittent des chants.

Massignon, la tête nue un peu penchée, une inflexible douceur nimbant toute sa personne, fendit la foule, me guidant, avec une déconcertante facilité, et soudain s'agenouilla sur une dalle. Il sortit de son gousset un crucifix d'argent, le posa à même la pierre, et sur le crucifix son front, dans un prosternement absolu, celui où s'abîme le musulman pour la prière, mais sans se relever, immobile, aveugle et sourd à l'indécent pandémonium où son agenouillement et sa méditation avaient creusé un trou de solitude et de silence. Le cercle, autour de nous – lui écrasé sur le sol, moi debout derrière lui – ne se resserra à aucun moment. La prière de Massignon dura longtemps. Trente minutes ? Davantage ? Aucune bousculade ne nous bouscula, aucune curiosité intempestive ne nous troubla – ou bien en étais-je inconscient ? Quand Massignon, enfin, se releva – il ramassa le crucifix, le porta à ses lèvres et le glissa dans la poche de son gilet – son visage ruisselait d'émerveillement et de larmes, et, sur son front, la croix d'argent avait imprimé sa marque.

Nous traversâmes la foule avec la même irréelle facilité qu'à notre arrivée et nous sortîmes de la basilique. La nuit était claire, froide. Nous en passâmes une partie à marcher sur les chemins, entre les petites maisons cubiques dont les pierres roses paraissaient bleues.

Je l'ai dit : je n'ai jamais rien noté. Plus de journal intime depuis les jours de la Libération, et encore il a été égaré. Le quart d'heure qu'il eût fallu consacrer chaque soir à un journal m'exténuait d'ennui. Je ne sais donc plus ce dont Massignon, dans la nuit de Bethléem traversée d'étoiles – mais aucune ne désignait l'étable –, parla interminablement. On ne dialoguait pas avec lui – pas plus qu'avec Malraux. Mais Malraux, dont je connaissais un peu mieux les territoires, je pouvais le relancer d'une question. Alors que le monologue de Massignon, fulgurant, sardonique, prophétique, humble, fervent, décourageait et fascinait ma frivolité. J'essayais de le suivre, comme j'adaptais la mienne à sa démarche pressée sur les chemins de Judée. Dans son discours passaient Léon Bloy, des prêtres damnés, Marie-Antoinette, les mystiques arabes, le père de Foucauld, des évêques et des politiciens qu'il fusillait d'anathèmes et de formules meurtrières.

A l'aube, dans ma petite chambre glacée de l'hôpital, je m'endormis, brûlé d'une grande fébrilité.

Quand le roi Abdallah nous reçut à dîner, dans sa résidence de Jéricho où l'abondance et la méfiance des gardes faisaient oublier un décor de villa basque, Massignon était encore là, mais discret, d'une affabilité inaltérable (que démentait parfois un éclair des yeux gris), sans rien dans son comportement qui rappelât la véhémence inspirée de la nuit de Noël. Le roi était petit, avec un visage froncé et rusé de nomade, qui s'anima soudain quand il clama son horreur d'Israël. Un flacon d'Urodonal était posé à côté de son verre d'eau. Après le dîner, comme je parlais du colonel Lawrence au prince Tallal, il me mena dans un petit salon où, au mur, je reconnus l'original de la photo célèbre sur laquelle, adolescent, j'avais rêvé, qui représente l'entrée du général Allenby, en 1917, à Jérusalem. Je ne sus pas lire la dédicace qui ornait la photographie. Là, quelques pas derrière le général, cet officier d'allure très britannique, de taille moyenne, coiffé à l'arabe comme si souvent Massignon, c'était lui, T. E. Lawrence, avec son grand nez anglais dans l'ombre du keffié. Le roi nous emmena visiter son écurie, nous offrit à chacun une rose. Nous repartîmes dans la nuit sous l'œil vigilant des sentinelles de la Légion arabe dont, le lendemain, on me fit saluer le commandant, le célèbre major Glubb, plus connu à l'époque et en Orient sous le nom de Glubb pacha.

Je suis retourné, au fil des années, en Syrie, au Liban, en Israël, dans la vieille ville de Jérusalem devenue juive, en Cisjordanie devenue « territoire occupé ». Nulle part ailleurs dans le monde je n'ai ressenti des impressions de honte et de gâchis aussi violentes que là-bas. Nulle part ailleurs je n'ai compris aussi clairement combien nos engagements, nos passions, nos légèretés peuvent devenir meurtriers. Dans la cacophonie des promesses contradictoires et d'ailleurs non tenues, des terrorismes et des répressions, dans la dialectique des injustices successives, comme emboîtées les unes dans les autres, les victimes devenant les maîtres, les morales se retournant, les mêmes mots ne désignant plus les mêmes valeurs, l'Occident a jeté au feu ce coin d'Orient où coulent ses sources, où se formèrent ses atavismes et son histoire spirituelle. Inexpiable trahison, non seulement des princes, des peuples, des politiciens, mais de nous-mêmes, de notre identité.

Rien de tout cela, il y a quarante ans, n'était tout à fait évident pour moi. Les tragédies à venir devaient mieux m'instruire. Mais un malaise m'avertissait : seul le hasard m'avait envoyé là-bas où rien n'était limpide, où aucun témoignage n'était irrécusable, et je devais prendre garde. Dans ce lieu du monde – de *notre* monde – parmi les plus riches en aventures de l'âme, c'était un peu de mon âme que je risquais, à prendre parti, sans l'avoir réellement pesé ni voulu, pour une cause, contre une autre. Jamais je n'avais senti comme à Jérusalem, au pied du Mur encore étouffé dans une venelle, au mont des Oliviers, à Damas à la mosquée des Omeyyades, l'idée et les images de Dieu nourrir ainsi les songes et les actes. La phrase de Malraux lue sans y porter vraiment attention prenait sens : oui, si l'Occident pensait à l'homme, l'Orient pensait à Dieu. Pourtant, mon sentiment *d'insécurité* y était total.

Je mis alors, à n'être pas trop crédule, tous mes soins. Je parvins, par un stratagème qu'il importe peu de raconter ici, à passer clandestinement en territoire hébreu, où j'ouvris grand mes yeux et mes oreilles. Et surtout, quand j'en revins, je posai davantage de questions aux deux hommes d'un format exceptionnel sur le chemin de qui j'avais été placé : l'un était, bien sûr, Massignon, et l'autre un religieux, le père Voillaume, fondateur des toutes nouvelles Fraternités du père de Foucauld.

Il y a quarante ans on ne parlait pas de crise au sein de l'Eglise de France. La ferveur religieuse qui, assez naturellement, avait fleuri dans le sombre terreau de la défaite et de l'Occupation (comme avait alors prospéré, et pour des raisons voisines, la passion poétique), n'était pas retombée. C'était l'époque de la Mission de France, des prêtres-ouvriers. Les Fraternités de Foucauld, frères ou sœurs, devaient s'installer en milieu réputé étranger ou hostile, et y mener la vie la plus humble, la plus désarmée. Le père Voillaume était venu en Jordanie pour célébrer l'installation d'une Fraternité de petites sœurs en pleine ville arabe de Nazareth. Je ne fus pas trop agacé par son blouson prolétarien, son allure si peu sacerdotale – comme les temps ont changé! – sensible que j'étais à son intensité, à sa mesure, et au respect que lui vouait visiblement Massignon.

Au Caire, un peu plus tard, nous nous retrouvâmes tous les trois dans une grande maison de Zamalek, chez les sœurs Kahil, des cousines du roi Farouk, mais chrétiennes, où Massignon m'avait fait inviter. Je pouvais voir là, chaque soir, briller, boire, parler en quatre ou cinq langues une petite société dont je reconnus l'image, plus tard, en lisant *Le Quatuor d'Alexandrie.* Lawrence Durrell, à cette époque, devait se trouver à Belgrade et il n'avait pas encore publié ses romans. Mais je me rappelle combien m'étonnèrent les personnages rencontrés à Zamalek, si évidemment *romanesques*, leur cosmopolitisme, leur élégance excessive ou surannée, leurs accents indéfinissables, et quelque chose de las, de sensuel et d'inutilement ardent qui, flottait autour d'eux, sur l'hôtel livré à une domesticité silencieuse, sur tout ce calme quartier qui évoquait des rues de Neuilly ou de Boulogne qu'on eût tracées dans une épaisse terre jaune, le Nil glissant au loin entre les troncs des palmiers et des eucalyptus.

Il y eut, entre les mondanités chez Mary Kahil où s'engourdissait un petit milieu expirant, et telle nuit de fête où le père Voillaume m'emmena, sur l'immense place où les confréries célébraient le Mouloud, des épisodes savoureux, certains étranges, qui enchantaient mes vingt ans mais sur lesquels ce n'est pas ici le lieu de s'étendre. Un seul appartient à mon propos, à peine une scène, seulement une image fugitive, volée à la nuit de la Saint-Sylvestre.

Le père Voillaume avait célébré pour une trentaine de fidèles, dans une petite communauté catholique installée non loin de notre demeure, une messe nocturne alors exceptionnelle, destinée sans doute à saluer 1950 qui allait être une « année sainte ». Nous en revenions, à pied, par les trottoirs déserts. Le père portait une valise-chapelle, les religieuses qui nous avaient reçus ne disposant, là où elles se trouvaient, d'aucun lieu consacré.

Le professeur Massignon, toujours vêtu de noir et son béret enfoncé sur le crâne, voulut, dans un geste de dévotion et d'humilité, porter la valise dont le père, sensiblement plus jeune, ne voulait pas le laisser se charger. Sans cesser de marcher, ils se disputèrent un instant le fardeau, en silence, et ce fut un spectacle étrange que de voir ces deux hommes, étant ce qu'ils étaient, essayer chacun d'arracher aux mains de l'autre cette espèce d'*attaché-case* où la liturgie enfermait les symboles les plus précieux de leur foi, et leur Dieu Lui-même. Leur indifférence absolue à tout respect humain, leur entêtement, tout était fait pour m'émouvoir.

J'ai parlé déjà de *l'inflexible douceur* de Massignon : c'est elle qui l'emporta. Le père Voillaume, dans un geste d'offrande, des deux mains, que je n'ai pas oublié, accompagna ce don qu'il parut faire au professeur, lequel, pressant le pas, nous précéda de quelques mètres afin de marcher ainsi, seul, en avant de nous, jusqu'à la maison Kahil endormie.

J'ai évoqué dans mes livres des scènes qui m'avaient moins marqué que celles-là, que je viens de raconter. Pourquoi cette discrétion ? Peut-être parce que j'eus à cette époque le sentiment de m'être glissé de façon presque illicite, abusive, dans une région de l'homme (et dans cette région fervente et forcenée de notre géographie spirituelle) qu'il ne me serait jamais naturel de fréquenter. J'éprouvais, à rencontrer la foi sous ses formes les plus brûlantes, une émotion qui était peut-être esthétique, mais sûrement pas religieuse. J'étais toujours, ces années 1949 et 1950, du côté de Barrès : *Un jardin sur l'Oronte* ou *Du sang*, plutôt que *La Colline inspirée*. « Un amateur d'âmes » – mais pas une âme. Pourtant Massignon m'avait frappé au vif, et l'espèce de victoire mystérieuse, qu'il m'avait paru remporter en arrachant aux mains du père Voillaume l'autel portatif où venait d'être célébrée la consécration, m'avait comme inondé d'une pluie bienfaisante, inattendue, dont je me désolais de savoir qu'elle ne fertiliserait pas le sec garçon que j'étais.

Revenu au Caire bien des années plus tard dans des circonstances et des conditions où *l'âme* avait peu de part, il arriva que la voiture qui nous menait à un déjeuner sur le Nil traversa un quartier que je crus reconnaître. Les jardins, les hôtels si bourgeois, si ventrus : tout m'était familier. Cette avenue-ci? Une autre, voisine? Peu importait, le passé me sautait aux yeux et aux oreilles. Soudain je réentendais le brouhaha des conversations entrecroisées autour de la table de Mary Kahil; je revoyais les femmes grecques aux yeux indulgents et usés; le père Voillaume, en blouson de cuir, sous un pavillon tendu de tapis où des fanatiques dansaient jusqu'aux convulsions; Massignon dans la nuit, devant nous, son attitude, sa tête inclinée, sa démarche presque aérienne composant une sorte de prière de tout le corps dont je doutais de percer jamais le secret.

Aujourd'hui, je ne suis plus que de deux ans le cadet du Massignon de 1950, qui me paraissait si vieux. Il était à mes yeux investi de pouvoirs et d'une autorité intimidants. Même le roi Abdallah le traitait avec considération. De tout son personnage, dussent certains le suspecter de divers excès, noirceurs et véhémences mystiques encombrantes, émanait un rayonnement qui ne devait presque rien à l'érudition, qui était d'un autre ordre. Cet ordre m'était révélé dans les paysages et les circonstances le mieux propres à m'ouvrir les yeux. Il définissait une aventure plus haute, plus folle, plus flamboyante que la tiède destinée littéraire vers laquelle, mot après mot, page après page, j'avais commencé de m'acheminer. Un an plus tard, quand je publiai une étude sur les déplacements de populations en Europe[1], Louis Massignon accepta de la préfacer. Comme, dans son bureau de la rue Monsieur, il me faisait un compliment sur « mon style », je n'eus pas l'audace de lui dire mes ambitions, ni que mon premier roman était aux trois quarts écrit. Le décalage me paraissait trop grand entre mon prurit romanesque et les préoccupations qui affleuraient sous chacune de ses paroles, derrière la terrible et douce froideur de son regard. Quelques mois durant, sans espoir de me changer ni même de me hisser jusqu'à un autre étage de moi-même, je continuai de me tourner vers Massignon. J'allais l'écouter au Collège de France; je le raccompagnais jusqu'à la rue Monsieur où je montais avec lui pour ne pas interrompre son monologue.

Sentis-je alors que j'avais frôlé un vertige? Je n'en jurerais pas. Mais trente-cinq ans plus tard, au Caire, quand une traversée du quartier de Zamalek eut fait resurgir des images et des visages depuis si longtemps enfouis, je compris que Massignon, Voillaume, mes premières nuits d'Orient, m'avaient révélé une autre façon de vivre et de vieillir, un pari, un défi d'une autre qualité, qui m'eussent épargné, si j'avais été capable de me les approprier, l'à-quoi-bon, l'angoisse de l'âge et du temps, l'insignifiance de nos batailles. « Il faut être fou de hauteur, car, l'étant, on redégringole encore tant et plus[2]... » Je ne savais pas donner aux mots leur juste sens.

1. L'*Homme humilié*, Editions SPES, 1951, préface de Louis Massignon.
2. Henry de Montherlant, « Lettre d'un père à son fils », *Service inutile*, Grasset, 1935.

LA TRANCHÉE

JE ne suis pas toujours insensible à mon ridicule.
Mieux, il m'arrive de m'en repaître, de le détailler,
d'en traquer les manifestations, de le mettre en
formules, lesquelles servent à conjurer et surmon-
ter cette impossibilité de vivre dont en bonne
logique je devrais être engourdi. Si je fais si souvent allusion à mon apparence physique, à mes
gestes, à ma silhouette entrevue dans un miroir (et
alors, au lieu de rentrer le ventre et de redresser
le dos, comme ils font tous, je me contente de
détourner les yeux, parfois de les fermer, ou de me
déplacer juste assez pour que s'évanouisse mon
reflet), si je parais étaler quelque complaisance
dans cet autoportrait aux horreurs, que, de page
en page, je compose et rectifie sans presque avoir à
y penser, ma plume courant seule à cette calami-
teuse description, c'est que l'enlaidissement ordinaire de l'âge, aggravant les disgrâces naturelles
dont j'étais accablé, les a portées à des extrémités
qui me consternent.

Sans revenir sur des croquis et caricatures que
dès ma trente-troisième année j'ai prodigués dans
mes livres, je voudrais signaler le ridicule (et non
pas le pathétique), qu'il y a à être devenu ce
Nimbus aux cheveux rares, folâtres et blancs, dont
la tête paraît avoir grossi, comme d'un tardif

hydrocéphale, et dont le coffre, depuis si long-temps bourré de sucreries, de salaisons et d'alcool, balle en bosse abdominale au-dessus de la ceinture, modifiant du tout mon personnage, dont je m'étais accoutumé à habiter l'enveloppe comme d'un svelte, d'un longiligne, alors que désormais mes vestons me boudinent, mes cols m'étranglent, leurs boutons sautent, tandis que mon souffle se raréfie et que se posent sur moi des regards destinés, d'évidence, à un autre. Je suis devenu cet autre. Qui n'a jamais sur le nez les bonnes lunettes, sur le dos le bon costume (trop lourd, ou trop léger, d'où suées et frissons), et qui tangue parfois, au bord d'un tapis, en haut d'un escalier, comme si des rafales de mistral dévastaient les salons et les couloirs des douillettes maisons où je vis.

Certes, le terrain était propice aux catastrophes, mais quand même! Comment celle-ci, cette méta-morphose, cette dégringolade a-t-elle pu se pro-duire? Comment ne me suis-je aperçu de rien? J'avais pris l'habitude d'une sorte de ruse, pour moi assez flatteuse, dont les règles pourraient s'énoncer ainsi : réussir, moche comme je suis, à cueillir quelques fleurs et à en décorer ma réputa-tion, faut-il que je sois fort! Mais, si la vie tournait mal : évidemment, avec cette tête et cette dégaine, personne ne parviendrait à s'en sortir mieux... Ajoutez à ces acrobaties la stricte application de la règle édictée par ce balourd de Beyle : pas d'ap-prêt, pas de précautions! Entrez dans un salon tel que vous êtes. Ainsi fortifié, une dialectique rassu-rante à la disposition de mes échecs ou aux ordres de mes désirs, je ne risquais pas grand-chose à être héroïque. Je me tirais de tout, sinon avec honneur, au moins avec astuce. La morale de mes maîtres Croquignol, Ribouldingue et Filochard s'épanouis-sait en moi.

Mais la maladie, désormais, ne relève plus de ces

médecines simplettes. Elle outrepasse les possibilités de mes roublardises. Ce n'est plus de l'héroïsme pour rire qu'il me faut déployer pour me produire, en public ou dans le doux privé. Les salles de bal sont devenues autant de champs de bataille. Aurai-je le courage de sortir de la tranchée ? Il me semble entendre siffler les obus, éclater les rires si je lève les yeux sur une belle. Au fait, elle est bien floue... Ne me serais-je pas encore trompé de lunettes ?

L'ANCIEN

MAISONS, vêtements, objets, décors : j'ai vécu mon enfance dans une laideur dont on n'a pas idée. La modestie des moyens, qui est allée s'aggravant, n'expliquait pas tout. L'explication était dans l'absence absolue de goût, de savoir, de modèles. Plus tard, adolescent, j'ouvris les yeux et découvris un monde jusque-là ignoré. Peut-être le hasard qui nous fit, en 1940, venir habiter Paris, rive gauche, et sur la rive gauche le quartier latin, où foisonnaient alors antiquaires et libraires, collabora-t-il à mon éducation. J'étais fouineur, vif. J'entrais dans les boutiques, touchais les choses, posais des questions. Le hasard encore, ou quelque inconscient besoin, me fit choisir des amis mieux éduqués que moi, plus frottés d'élégance, des bourgeois. J'observai où et comment ils vivaient, laissai traîner mes oreilles et, en peu de temps, j'établis des correspondances entre les diverses leçons que me prodiguaient la rue, les livres, les familles de mes camarades, la minisociété du lycée, celle des clubs de sport, les explorations estivales. Je réinventai, en tâtonnant, les nuances, les hiérarchies qu'on ne m'avait pas apprises. Je devins, par les seules vertus de ma volonté et de ma malléabilité, qui étaient grandes, capable de poser des comparaisons et de porter des jugements.

Dans cette évolution, tout à fait classique mais conduite par moi avec une rigueur et une célérité qui méritent l'estime, (du moins me le semble-t-il), l'intuition et l'apprentissage de ce qui est beau ou laid, rare ou banal, coûteux ou bon marché, vrai ou faux, jouèrent leur rôle. Sur certains terrains je dépassai bientôt mes modèles. S'agissant des maisons, par exemple, de leur charme, de leur style, je devins vite plus attentif et exigeant que la plupart de ceux de qui j'avais commencé par recevoir des leçons. Certes, je n'avais pas acquis la négligence, la nonchalance, la liberté avec lesquelles les gens installés traitaient ces détails sur lesquels, moi, je me crispais. Je me fis en ces domaines la morale pointilleuse et appliquée du néophyte. J'eus pour le fastueux, le grand genre, la beauté, la passion dévote des raffinés, sans leur désinvolture, et pour les copies, les approximations, un dégoût indigné et sarcastique.

Tout cela on ne peut plus ordinaire, et d'époque : nous étions dans les années cinquante, où commençait d'éclore une néo-bourgeoisie tout occupée à s'enrichir et avide de prestige, de durée, d'allure. On s'achetait, avec les vieux murs, le passé qu'on ne possédait pas, et avec des meubles, des objets, les portraits bitumeux et écaillés d'inconnus, une famille. Je me grattai à toutes ces démangeaisons, non sans préserver quelques prudences : j'étais alors sensible aux ridicules, et même si prompt à les déceler et à les moquer que cette vivacité me tenait lieu, parfois, d'intelligence. Gogo, mais pas dupe.

Depuis peu d'années, ce fanatisme s'épuise, que je nourrissais pour l'ancien, la patine. Je me surprends à pardonner, et en plus d'un domaine, la confection de copies, à considérer avec indulgence les meubles « de style », et parfois à préférer, en architecture, les pastiches modestes et fidèles aux ruines bouleversantes et, bien sûr, aux coups de génie contemporains. Je cherche à comprendre une métamorphose si spectaculaire. Qu'est-ce que je trouve? Ceci, qui me paraît convaincant : j'ai accepté l'idée des *copies* du jour où j'ai eu mesuré la fragilité de mon *authentique* squelette, de mes muscles « bons d'époque », c'est-à-dire de plus en plus flanchards et mauvais. Comment, ayant recours aux prothèses, refuserais-je le fauteuil réparé, le moulage des statues rongées par le temps, le faux de belle facture? Affronté chaque matin à la vétusté et aux subtils délabrements de mon corps, comment n'en serais-je pas venu à préférer, aux poutres vermoulues, le rassurant béton? Quand s'installe l'âge, il y a intérêt à se tapisser les gencives de porcelaine et de résine si l'on veut encore bécoter les dames. Laquelle aimerait visiter de la langue une bouche « dans son jus »? A partir de la cinquantaine l'homme est tapé, et retapé s'il a un peu d'argent et de fierté. D'où cette indulgence qu'on lui voit, tellement inattendue, envers les maquillages, les restaurations, les pathétiques bricolages. Ils légitiment la permanente comédie au prix de quoi il prolonge un moment sa présence sur le théâtre. Homme : mieux vaut un faux qu'une ruine. Je me voyais vieillir en Savonarole des styles et je me retrouve dans la peau d'un sceptique, d'un tolérant. Du « rustique breton » dont ma mère se fournissait faubourg Saint-Antoine à mes approximatives bergères Régence, il n'y a pas si loin. L'âge a remis au pas le petit jeune homme affamé de chic, prêt à tourner le dos à son passé pour offrir et s'offrir l'illusion d'en avoir eu un autre. Sans doute mourrai-je fidèle à moi-même, aux miens, à ma vérité. Quel voyage pour en revenir là!

LES HEURES BLEUES

Les viocs, les croulants, les barbons, les birbes, les schnocks, les bonzes, les ganaches, les croûtes, maintenant, ça voyage. L'appel du large en couleur d'azur ou précieux métal : cartes vermeil, jours bleus. A de certaines heures on voit les voitures des TGV pleines aux trois quarts de sexa et de septuagénaires. Ils se ressemblent.

Les messieurs sont chaussés de souliers à grosses semelles, ou à grosses coutures, ou à gros lacets, visiblement trop larges pour leurs pieds. Ils ont souffert quarante ans de porter des richelieu étroits. La godasse éléphantesque a mauvaise presse dans les administrations : on lui associe des images de nigauderie, pieds dans le plat, regarde où tu marches, etc. Un diplomate se doit d'avoir le pied fin. La retraite venue, ils veulent déployer leurs orteils. Et adieu le cirage ! Les cuirs mats sont majoritaires. C'en est fini de quitter le bureau du patron en se demandant si l'on a le talon miroir, et pas trop biseauté : c'est à ça qu'ils vous jugent, c'est connu.

De même que les chaussures sont *confortables*, les chaussettes sont *fantaisie*. Dès que souffle un air de bourgeoisie on se permet le vert pomme, le rose; plus bas, l'écossais. On se revanche ainsi de la pusillanimité à cause de quoi, toute une vie, on a

162

porté des chaussettes noires, ou grises, ou bordeaux – parfois même marron! Un pied vif eût offusqué l'œil du chef. La retraite a donné envie de passer de la chaussette au mi-bas, histoire d'avoir chaud. Comment expliquer que seuls les séducteurs, en France, découvrent avant soixante ans la hideur de ce tire-bouchon de nylon affalé sur la cheville et révélant une tranche de mollet blafard? Le séducteur, qui a le mollet hâlé, lui, le cache. Il sait quels cheminements emprunte le regard des dames.

Larges, vastes, dans les bruns, les pantalons ont quelque chose de soviétique et évoquent ce multiforme souci de se mettre l'anatomie à l'aise. Il arrive qu'ils soient de forme et de couleur plus austères que le veston (d'allure toujours sportive) : c'est qu'alors celui qui le porte « finit » une pièce de costume portée naguère pour aller au travail.

Le gilet de laine est de rigueur, quelle que soit la saison. Il est souvent tricoté, parfois bicolore. Une phénoménologie sociale devrait sans cesse soustendre et enrichir des descriptions de cette sorte. Elle obligerait à réfléchir sur des nuances infinies. Un gilet couleur de caramel ou de chameau, ample, un peu fatigué, *classe* son porteur ailleurs qu'une chose serrée, faite main, aux boutons choisis avec un discernement trop sensible. La retraite, qui égalise et atténue en certains domaines les différences de milieu, ne les efface pas, même si la bougeotte et les commodités du troisième âge réunissent, aux « heures bleues », dans des voitures de première classe enfin (ou encore) accessibles, des Français que les origines, les diplômes, les salaires, le style de vie, le langage ont séparés pendant quatre ou cinq décennies.

Chez les dames continue de régner une mode « fiancée d'août 14 » intangible depuis plus d'un demi-siècle. A peine une évolution s'est-elle produite, pendant les années noires, vers le genre « elle-a-été-si-courageuse-pendant-l'Occupation ». J'ai vu ma mère vêtue, chaussée, coiffée ainsi, ou à très peu près, de son veuvage à sa fin, soit de quarante à quatre-vingt-cinq ans. Seuls des nuances, des perfectionnements infimes ont marqué le passage du temps. Par exemple la jupe ample, plissée, de couleur muraille, a souvent fait place au pantalon gris ou de velours, asexué, flottant – le mot est : *pratique*. Les chaussures ne sont là que pour conforter l'équilibre et permettre la marche : les dames à carte vermeil se doivent d'être infatigables. C'est une vertu constitutive de leur sexe, qu'elles n'ont parfois acquise, étrangement, qu'assez tard, dans ce moment où elles adoptaient, comme leur mère avant elles, le style « fiancée d'août 14 ». Cheveux relevés en chignons hauts, ou coupés à la diable, parfois frisottés, la coiffure exprime le dynamisme, l'indifférence au qu'en-dira-t-on. Après avoir longtemps été bleus, mauves, nuageux, touchés d'argent, les cheveux ont tendance à ne plus ruser avec leur grisaille naturelle, à moins que, la niant à jamais, ils n'affichent une blondeur négligente mais perpétuelle. Les bijoux, de bonne apparence, toujours en or, ont sans doute été offerts lors de la célébration de noces d'argent, ou hérités. Vestes de laine, caracos, boléros : divers vêtements sont volontiers superposés. Foulards de soie à motifs, cadeaux d'une bru. Comme les messieurs, les dames se réfèrent à quelques modèles dont elles ont adopté toutes les manières d'être. C'est ainsi que le port d'un imperméable Burberry's entraîne celui d'un sac en bandoulière (jeunes filles des années quarante), souvent ramené sur le ventre par crainte des voleurs à la tire ; celui de mocassins à talons plats suppose les cheveux gris coupés à la garçonne, etc. Cette conformité à un type, loin de menacer l'identité des personnes vieillissantes, les rassure, en ceci qu'elles copient quelque silhouette exemplaire par son allant, sa vitalité, son air *jeune*. Chacun invente sa façon de boitiller, d'user d'une canne; seuls les comportements énergiques sont imités et interchangeables.

La religion de la vitalité, pratiquée par les dames et, en règle générale, entretenue par l'activité grand-maternelle, ne semble pas préoccuper les messieurs. Lesquels sont plus mous, plus indécis dans leur démarche, plus à l'abandon, plus *vieux* que leurs compagnes. Comme si le bureau, l'apéritif, le gagne-pain, la bavarderie politique et le déjeuner d'affaires fatiguaient davantage que la maternité et les travaux forcés ménagers. Les dames, qui en ont pris pour vingt-cinq ans à leur mariage, ne semblent pas s'en être mal sorties. Aux heures bleues du train comme toujours dans la société française on a envie de chanter leurs louanges. Elles sont infiniment respectables avec leurs gestes précis, leur netteté d'allure, leur façon de s'abîmer dans la lecture – mais on leur devine la tête encombrée de chiffres, de dates, de promesses, d'anniversaires. Plusieurs vies tiennent dans leur vie : enfants, petits-enfants. Sous leur front lisse elles portent des menaces de maladie, des soupçons d'adultère, des peines d'argent, de ces secrets qui disloquent une famille. Peut-être est-ce faute de temps à lui consacrer qu'elles ne voient pas monter vers elles la vieillesse.

Les messieurs, eux, ont la fragilité du bois déjà mort. L'égoïsme et l'inguérissable frivolité masculine les rongent. Ils prennent soin d'eux, achètent des médicaments, consultent en toute occasion, jettent sur la jeunesse des regards obliques. Ils geignent, ils s'encolèrent, s'indignent, souffrent, mobilisent l'attention. Comme je me sens leur frère, pleurnichard et mélodramatique, comme eux, obsédé, comme eux !

Si dans le train filant vers Marseille ou Toulouse je suis leur voisin, payant comme eux demi-tarif, c'est que je suis des leurs. Les observant, n'est-ce pas moi que j'observe ? La condescendance amusée, la curiosité quasi scientifique que je cultive à leur endroit, ne serait-il pas sage et lucide de me les consacrer ? Je surprends mon image dans un miroir du bar, où je vois, secoué par les cahots, un homme plus blanc, et d'allure, somme toute, plus fragile que la plupart de ceux que je considère comme l'entomologiste fait les insectes. M'habituerai-je jamais à ma nouvelle apparence ? Quand me suis-je perdu de vue ? Quand ai-je cessé d'être le même à l'intérieur et à l'extérieur de moi ? Depuis quand le stupide aveuglement me dupe-t-il ? Il y a beau temps que j'aurais dû mettre à l'heure bleue ma pendule.

GOINFRE

Le temps qu'a duré la rédaction de ce petit livre je n'ai pas cessé d'enfler, de désenfler, de ballonner à nouveau. Les objurgations des médecins, le souci de mon apparence, la peur des maladies n'y font rien : à chaque accès de sobriété succède une rechute en goinfrerie. Je bourre mon corps de nourriture comme autrefois le mécanicien jetait le charbon dans le foyer de la locomotive. Mais au lieu que la machine brûlait son combustible et prenait de la vitesse, je transforme le mien en graisse, gonfle et me traîne. L'anxiété est buveuse, on le sait – mais plus encore bouffeuse. J'ai raconté la découverte, dans l'appartement qu'habitait ma mère à l'avant-dernière étape de sa vie, de ces boîtes à peine entamées de friandises lentement durcies, rancies, tournées en sucre. Elles me donnèrent, de la solitude et des peurs de la vieillesse, une image plus convaincante que toute réflexion.

La gastronomie, les clubs de fines gueules, les hostelleries à sauces ne sont pas mon affaire, mais comme je comprends les bâfreurs ! Je suis capable d'ascétisme, de régimes féroces. J'ai décidé il y a vingt ans, en un instant, de cesser de fumer, me suis tenu à cette décision, et suis resté, en un autre temps il est vrai, cinq ans sans boire. Mais, la digue crevée, le flot déferle. Incapable, comme on dit, de

« m'arrêter ». Je bois pour être ivre, je mange pour faire le plein. Encore, encore un peu! J'engloutis les gâteaux comme, j'imagine, dévalisant une banque, on précipite les liasses dans un sac ouvert. Oui, c'est cela, il me semble être une poche béante, un sac, un passe-boules, le tonneau des Danaïdes. Illusions déraisonnables. L'état de réplétion est vite atteint. Je déborde. Je régurgite, je dégorge. Bourgeois de Louis-Philippe à qui un Guizot aurait conseillé : « Bourrez-vous! », je pousse ma panse devant moi, que ne parvient plus à circonscrire la veste. L'absurde est que je ne tire de ce gavage nul apaisement. Aussi incertain, gonflé, que dégonflé. Les sensations de poids, de masse, d'embarras, celle d'être une frégate trop lourde qui ne parvient plus à manoeuvrer dans le port, n'allègent pas, d'évidence, l'anxiété que tente d'étouffer la boulimie. Le grand anxieux devient un gros anxieux, belle victoire! Alors, boire? A l'exception de ces cinq années d'abstinence que je ne sais pas comment j'ai traversées, aussi loin que je remonte, et jusqu'à mes dix-huit ans, je me revois un verre à la main. Une bouteille dans la valise, autrefois, glissée entre les chaussettes, pour la chambre d'hôtel, avant la vogue des minibars. Une bouteille apportée en cadeau aux amis, pour le week-end, parfois pour la soirée, quand je n'étais pas sûr que la maison où j'allais m'assurerait mon content. Et dans les avions je houspillais l'hôtesse qui, après le décollage, tardait à déboucher pour moi un de ses secourables petits flacons. J'ai toujours aimé le chaud de l'alcool dans ma bouche, la flambée du sang, ma vivacité, ma prolixité, l'indifférence aux regards, aux jugements, le très léger roulis au rythme duquel je traversais un salon l'instant d'avant glacial, aux tapis soudain luxuriants, moelleux, aux parfums complices.

168

Aujourd'hui ces muflées deviennent, sinon suicidaires, au moins indécentes. Hélas, au contraire de la goinfrerie, sous ses formes littéraire et mondaine, l'alcoolisme aide à vivre. Sinon dans ses suites, au moins dans le premier temps et l'euphorie de sa pratique. Doué par la nature d'un beau pouvoir de résistance aux excès de boisson, j'ai toujours été – presque toujours – un buveur digne, discret, vertical. Ce n'est qu'assez tard et de façon intermittente qu'il m'est arrivé de souffrir de mon intempérance. D'une souffrance *propre*, anguleuse, presque flatteuse. Depuis peu d'années cependant le jeu ne me paraît plus valoir la chandelle, auquel je perds plus de temps que je ne gagne de plaisir. De sorte qu'entre deux efforts de discipline le gavage a repris, insidieux, innocent : boîtes de chocolats comme oubliées sur les meubles, songeuses visites au réfrigérateur, pillage des buffets, grignotements, gestes négligents pour rafler les amandes salées, olives farcies, truffes, cacahouètes grillées, canapés, barquettes, palmiers, saucisses chaudes, pizzas, feuilletés dont je nourris ce fort rempart de chair où la mort, pour sûr, n'osera pas tailler sa brèche.

LA SOUSTRACTION

JE sais encore par cœur ma table de multiplication, mes départements, les règles d'accord des participes et il m'arrive, dans les magasins, de calculer mentalement la somme que je vais avoir à débourser, pour le plaisir de « doubler » la vendeuse en train de taper sur le clavier de sa caisse enregistreuse le prix de chacun de mes achats. Le collège Notre-Dame, dans un esprit de démocratique amalgame et afin de les aguerrir, envoyait ses élèves de sixième passer leur « certif » au groupe scolaire du rond-point Thiers, à la frontière de Montfermeil. Nous dévorions dès les vacances de Pâques une sorte de petit dictionnaire à couverture rose intitulé, je crois, *Mémento du Certificat d'Etudes primaires*, abrégé de tout le savoir que la France laïque exigeait de ses gamins. Nous, des collèges catholiques, avec notre casquette à visière de cuir bouilli (que nous ne portions pas ce jour-là), nous abordions les bâtiments de briques pâles de la communale dans des sentiments mêlés de supériorité, de crainte et d'embarras. L'année précédente, le Front populaire avait secoué nos familles. Ajoutez à cela que nous savions des choses sur Rome et les Chaldéens, mais rien sur les « croquis cotés » ni certains problèmes de physique à l'énoncé redoutablement trivial et concret. Du croquis coté (il s'agissait d'un pot de fleurs), je conserve mauvais souvenir. Comme je ne comprenais même pas ce qu'on me demandait (j'avais entendu « croquis côté » et je voulais me placer en conséquence), je fournis une jolie chose ombrée, estompée, très Odilon Redon, qui faillit ruiner mes ambitions. Heureusement j'étais imbattable en orthographe et en calcul mental, de quoi je suis parti pour expliquer qu'en face des chiffres je ne suis pas infirme, et que la vogue des calculettes – il paraît que les candidats en ont une dans leur poche le jour de l'examen – m'a plutôt irrité. On n'emprunte pas l'ascenseur tant qu'on a encore du souffle.

Il est pourtant une circonstance où la calculette me fascine. Je l'utilise toujours quand j'ai à effectuer une longue soustraction : je tire alors, de la mémoire du minuscule appareil, des comparaisons et enseignements excitants.

On sait comment procéder. Après avoir fait apparaître sur l'écran la somme, parfois rondelette, de laquelle on va retrancher diverses dépenses, puisque hélas il s'agit en général d'argent, de budget et de comptes bancaires, on tape une succession de nombres modestes, presque négligeables, aussitôt oubliés. Vient le moment où l'on en a terminé; à moins qu'on ne veuille seulement voir où l'on en est. On appuie alors sur la touche appropriée et le reste de la soustraction apparaît, minime, dérisoire, imprévisible.

Le vieillissement ressemble à cela, et la surprise qu'il nous ménage paraît appartenir aux lois abstraites de la calculette. Chaque petit renoncement, chaque minime soustraction imposée par l'âge semblent négligeables. Soudain la vie fait ses comptes et nous retire d'un coup la jeunesse. On ignore la mémoire du temps : il enregistre pourtant toutes nos défaillances, nos manques, nos prodigalités et soudain, les additionnant, et retranchant la somme de notre reste, il nous laisse ruinés.

RETRAITE

ENFANT, comme tous les enfants je pensais que la vie amoureuse des humains durait peu. j'imaginais les femmes prenant leurs invalides dès la quarantaine, et encore! Quant aux hommes, on entendait bien parler de barbons licencieux, de papas septuagénaires, de stars aux multiples mariages, mais c'étaient là personnages de comédie. Ils appartenaient – peaux d'ours et bergères de satin – aux décors du cinéma austro-californien, à la fanfreluche des bordels, aux chuchotements des mères.

Pendant des années je n'ai même pas pensé aux images, désormais elles m'obsèdent, que savourerait quiconque mettrait, quand je fais l'amour, l'œil au trou de la serrure : ventre en besace, épaules blafardes et tavelées, le cheveu rare mais hirsute. Tout cela, obscène, et y renoncer : affaire de style.

Un médecin connut avant la guerre une célébrité tapageuse pour avoir écrit un livre intitulé : *Ne pas dételer!* Le titre et le point d'exclamation (il me semble qu'il y en avait un) étaient explicites. Cette objurgation, sous laquelle perçait une forfanterie, n'intéressait pas mon enfance, mais déjà je lui trouvais mauvaise manière. Un peu plus tard, instruit par de bons maîtres, je devins un précoce mais fervent disciple de l'Ecclésiaste, un adepte de tous les renoncements. J'avais quinze ans! Rien ne me parut jamais plus urgent, justement, que de *dételer*. Ce je-m'en-foutisme n'arrangea pas ma vie, ni le plaisir que j'y prenais. Aujourd'hui je ne sais plus où j'en suis. Tous les paysages ont changé. J'aimerais accélérer, je lève le pied du frein, mais on dirait qu'un pavé pèse sur la pédale. Je me sens certains matins comme un véhicule qui brûlerait, en à-coups et hoquets, ses dernières gouttes d'essence.

Je suis de ces farfelus superstitieux qui n'ont jamais prêté grande attention aux cotisations, primes, assurances supposées nous préparer une vieillesse sereine. Qu'avais-je besoin d'une retraite! Au mieux, le moment venu je serais mort; au pire, riche. A en juger par la situation au jour d'aujourd'hui, je prends le premier chemin plutôt que le second. Quant à m'arrêter de travailler ou à ralentir le rythme auquel j'ai toujours noirci mes paperasses, l'hypothèse me paraissait saugrenue. Il y aurait toujours, comme par le passé, quelque épais café, quelque luxuriante vitamine, quelque amphétamine secourable, quelque veille, quelque solitude pour relancer la machine. Comment imaginer qu'on ne sera pas après-demain le même? Je n'avais pas prévu la fatigue.

Ah, la vilaine bête!

Quand je voyais les demoiselles des Postes ou les dames de la Sécu languir après leur retraite, la préparer, la caresser, la parer de mille charmes, rêver de l'anticiper, puis, d'un coup, s'y engloutir et en mourir à petit feu, je pensais avoir affaire à un type humain et à des soucis subalternes auxquels rien, aucune ressemblance, aucune complicité ne me rattacherait jamais. Je comprenais bien, encore que vaguement, qu'on n'eût pas envie de prolonger une vie d'ennui et que la plupart des existences ont été si mornes, si lourdes que la vacance et l'oisiveté paraissent des conquêtes sans prix. Mais je n'avais jamais pensé à la fatigue.

Ne me semblait-il pas qu'une bienfaisante *grâce d'état* irriguait certaines fins de vie, facilitant l'approche de la mort, à laquelle cette espèce de lubrification ouvrait la voie ? Je rêvais là-dessus. Quel repos que d'imaginer la mort venant étancher cette attente, cette acceptation, comme le verre d'eau apaise la soif ! J'en oubliais à bon compte les agonies que j'avais frôlées, bestiales ou furieuses, brûlées de souffrance, saturées de révolte.

Je croyais qu'une comparable disponibilité au vide et à l'ennui adoucirait l'entrée dans le troisième âge, à laquelle succéderait un autre appétit résigné, puis un autre encore, chaque décrépitude ainsi accueillie comme l'assouvissement d'un désir, ou, à tout le moins, l'accomplissement d'une fatalité.

Mais je n'avais pas su deviner que dans le même temps, ou à peu près, qu'une faiblesse en moi appellerait le repos, le renoncement, la démobilisation, une force – indissociable ? complémentaire ? – se rebellerait, elle, contre ma croissante faiblesse. Le oui et le non, à la colle.

Le oui ? Voilà que je comprends les vieux assis devant leur porte, leur indulgence pour le galeux qui halète à leurs pieds, la promenade vespérale à petits pas, les silences, l'indifférence qui monte et peu à peu recouvre tout. Mes sursauts de vitalité et de virulence se font rares. Les entreprises, les commencements m'assomment, et les projets, et les fiançailles, et les voyages. Mes livres, sur leur rayon, occupent assez de place.

Oh, bien sûr, je n'en suis plus à me moquer du docteur X. ni de ses cocoricos. Je comprends mieux et j'admire davantage les beaux vieillards, les roquentins, les forces de la nature, maintenant que je mesure leur chance ou leur courage. Je m'offre même, de loin en loin, l'illusion de n'avoir pas changé, d'être toujours à la tête d'un capital intact. J'appuie un peu une galanterie, je gambade, je persifle, je place « une pointe de vitesse », je chauffe mes mots. Mais dans les regards s'allume bientôt un étonnement moqueur ou, au contraire, apitoyé. Je comprends vite que mon coup de fièvre ne tire pas à conséquences. Le lendemain je suis confus, courbatu. La fausse jeunesse est un alcool frelaté : elle donne la gueule de bois. Quel dommage de n'être pas ambassadeur, général : on me placerait dans le *cadre de réserve* et, ceint de cette dorure de style, enfin embaumé dans la posture des ancêtres qui me manquent, j'aurais légitimement le droit de bâiller aux prouesses des cadets. Tel que je suis, et au point où j'en suis, je ne me sens assuré de rien. Ai-je fait assez mes preuves ? Puis-je remettre ma copie ? Ou faut-il me démener encore, peiner, briller, caracoler, au risque de fêler des os où doit se dessécher la moelle...

La fatigue n'a rien à voir avec la déprime, le trente-sixième dessous. Ni avec la fêlure, *the crack-up* – dont Scott Fitzgerald a fourni une description parfaite. Elle n'est pas un accident de parcours ; elle est l'état à quoi l'on reconnaît qu'approche la fin du parcours. Elle n'est pas une brume à dissiper, une maladie à soigner ; elle est une faiblesse qui règne, qui régnera, et avec laquelle on ne peut que composer.

REPU?

Je voulais mourir repu. Affronté, il y a trente ans, au questionnaire baptisé « de Marcel Proust », à la question « Comment voudriez-vous mourir ? », je répondis : « Tard, vite, apaisé. »

Qu'on ne se laisse pas prendre aux mots, je voulais dire : gavé, rassasié, assouvi. *Plein*, en somme. Plein de quoi ?

Adolescent, jeune homme, j'ai cru avec passion que le bonheur était une raison de vivre. L'âme : nuée inconnue. Au *Rien que la terre* de Morand je ne donnais guère de sens géographique. Cette terre-là, sillonnée de paquebots et d'avions, m'a toujours embêté. En revanche, le sens que je voulais métaphysique, cette proclamation hédo-niste, courte, têtue, m'allait comme un gant. Ah, non, pas de ciel !

J'ai vécu de cette morale, ou si l'on préfère de l'absence de morale, car dans l'existence quoti-dienne ma religion du bonheur s'arrangeait de quelques entorses aux principes puérils et honnê-tes. À trente ans, tout à mon ébriété, je ne rêvais que d'avoir, le jour venu, étanché toutes mes soifs. J'appartiens à l'antédiluvienne génération des lec-teurs de Gide... Or, il s'est passé ceci qu'en aucun domaine, à mon estime, je n'ai jamais connu la satiété. Elle n'a affecté, épisodiquement, que mes tripes, et j'en garde moins de souvenir que des nausées qui la conclurent. On ne peut pas avoir été moins fidèle à ses désirs. Gagne-petit, jouit-petit, je termine mon festin comme recommandent qu'on fasse les diététiciens : avec de l'appétit de reste.

Peut-être dois-je à la modération de mes excès l'indécision et le désenchantement où l'âge m'a surpris. J'entendais dans la bouche de ma mère, au moment des repas, une expression qui me flattait : « Il ne faut pas lui en promettre, il faut lui en donner... » La vie, sage administratrice, semble avoir, à mon usage, retourné la formule : elle m'*en* a beaucoup promis, et pas trop donné. Libre au lecteur, selon ses chimères, de mettre ce qu'il veut derrière ce « pronom adverbial ».

AU BÉNÉFICE DE L'ÂGE

Au Bénéfice de l'Age, comme on dit « Aux Dames de France » : une espèce de boutique. Achalandée, pour sûr, dans ce pays de gérontes et de pensionnés. Qu'y trouverait-on ? Cent recettes pour amuser le tapis, dorer les pilules, et, au rayon le mieux décoré, sol légèrement en pente, lumière vive, baigné de musique selon les plus modernes lois de l'euphorie marchande, les diverses compensations, friandises, déférences, patiences et sauces auxquelles on accommode les vieux rôtis dans mon genre.

Il paraît que j'ai acquis de l'expérience. L'art de cacher les trous, oui !

En quoi suis-je meilleur qu'il y a trente ou quarante ans, quand mes galipettes agaçaient, et que je n'avais pas encore appris à slalomer entre mes lacunes ? Fais-je quelque chose mieux qu'à vingt ans ? Quoi ? En bonne logique la réponse à cette question devrait être : écrire. Suis-je vraiment, avec le temps, devenu meilleur écrivain ? Je travaille comme fait une pelleteuse, creusant large, déplaçant d'inutiles caillasses. Accroché à mes dictionnaires, livré à d'inapaisables scrupules, je pousse des ahans et des jurons, forçant à des rudesses de portefaix une plume devenue, parfois, pusillanime. Est-ce *mieux* qu'autrefois ?

J'écrivais dans la gaieté, la frivolité, la hâte d'en avoir fini. Cela coulait de moi. « Un robinet d'eau tiède », tonnait un critique ronchon. Dieu sait que je n'aime ni l'eau tiède ni les robinets. A peine sollicités, les mots accouraient. Eux et moi, nous faisions la fête. En quoi la poussière et les ornières de mes actuels chantiers valent-elles mieux ?

Ces remarques sur mon travail ne sont ni gratuites, ni de mendigoteuse coquetterie. Je les fais chaque jour de ces mois pendant lesquels je suis aux prises avec mon livre ; elles occupent les longs entractes entre les brefs moments où – pour citer mon censeur – le robinet coule. L'eau me semble avoir refroidi – j'en frissonne. Vie et travail à l'unisson. Mon corps répugne à courir, plonge mal, escalade mal, baise mal, digère mal. Pourquoi ma plume serait-elle, la miraculée, restée agile et insouciante ? De toutes les métamorphoses subies, celle-ci m'est la plus familière : je connais et vois mieux mes mots que mon visage et mon corps. Or, c'est dans le même temps que diminuaient ma mobilité, mon aisance, mon pouvoir sur moi-même, que peu à peu m'ont été prodiguées les marques de révérence que je croyais ne jamais devoir mériter. On me reconnaît aujourd'hui de l'autorité. J'ai pris du poids, où il faut sans doute entendre que j'ai grossi. Cette enflure tient-elle lieu de force et de gloire ? Renommée et considération sont-elles toujours obtenues au bénéfice de l'âge ? Je sais depuis toujours, certes, que la longévité, la patience, la résistance aux usures du temps sont les meilleures chances de la notoriété, à défaut du destin bref, éclatant et funèbre qu'aucun de nous ne saurait feindre de regretter. Je sais qu'en littérature on camarade à qui mieux mieux. Je vois ramper de douces complaisances, de subtils népotismes, sans en faire un drame, un des bienfaits de l'âge étant de rendre tolérant. Mais je ne pensais pas bénéficier jamais, moi, de ces indulgences suspectes, de ces troubles respects. Je devrais, pensais-je, à mes seuls mérites, qui ne seraient pas négligeables, les gâteries dont on me comblerait.

Comment me sentir tout à fait innocent ? Il est d'autant plus urgent d'être lucide que la comédie, autour de moi, est désormais mise en scène et se joue : vous-même, qui êtes en train de me lire, n'est-ce pas une de ses douceurs qui vous a convaincu d'ouvrir ce livre ? On me caresse, on me flagorne. On me berce au lit de l'âge. Il serait si facile, si tentant de m'endormir. « Fais de beaux rêves... » Le marchand de sable va passer, qui offre, en prime, la poudre aux yeux.

LA VOLUPTÉ D'ÉTEINDRE

Dans *Les Manœuvres d'automne*, à propos du rêve chez René de Obaldia, Guy Dupré cite Plutarque : « Il n'a pas parlé sans inspiration divine celui qui a dit que le sommeil représentait les petits mystères de la mort, car le sommeil est vraiment une initiation préliminaire à la mort. » Image et idée si naturelles que chacun de nous croit les avoir réinventées. Certains dans la crainte, l'endormissement devenant alors lourd de menaces, et le sommeil semblable à une grotte sous-marine où nageraient de voraces et fantomatiques poissons. D'autres, dont je suis, descendent dans le sommeil, s'allongent en lui, se livrent à lui avec l'abandon le plus confiant.

De mon enfance à aujourd'hui, solitaire ou amoureux, sobre ou ivre, recroquevillé de froid ou amolli par la canicule, l'esprit vagabond ou bloqué sur une idée fixe, il n'est aucune épreuve dont le sommeil ne m'ait délivré. Même l'anxiété, qui hante mes réveils nocturnes, cède au plomb de minuit, quand je plonge dans le noir épais et miséricordieux dont la nature m'a offert le privilège. Au reste, s'il tarde à m'engloutir, une ou deux pilules, un verre d'eau, et je disparais.

Le goût de m'enfoncer dans cette absence, cette miraculeuse épaisseur de néant, devrait, semble-t-il, m'aider à redouter moins le grand, définitif enfoncement. N'éprouve-t-on pas, le jour et l'heure venus, une aspiration au vide, à la paix, une *volupté d'éteindre* somme toute comparable à celle que chaque début de nuit m'a appris à préférer aux compétitions et aux plaisirs des journées?

Je cherche à imaginer où est la différence, ce qui sépare du grand départ le petit adieu quotidien. Vous voulez rire? Oui, j'entends bien : *l'autre* est sans retour. Mais, à minuit, ne fuit-on pas, ne déteste-t-on pas l'idée du réveil? C'est une chose d'entrer dans le repos; c'en est une autre de livrer sa viande aux vers. « L'initiation préliminaire » de Plutarque serait-elle une abusive simplification?

On appelle parfois « petite mort » l'espèce de rupture nerveuse, de palpitante suffocation que provoque, dans la meilleure hypothèse, l'acte amoureux. Autre simplification. Je ne vois pas en quoi les sensations d'assouvissement et de honte vague qu'éprouve le baiseur après la baise évoque-raient la mort. Peut-être la salve cardiaque, le cognement du sang aux tempes ne sont-ils pas si différents de ce que nous ressentirons dans *l'atta-que*? J'ai frôlé une fois, probable, le grand éclate-ment, et approché les impressions extrêmes : je dois dire, quelque dubitatif que je sois s'agissant des merveilles de l'amour, que le moment des draps froissés, de la moiteur, de l'à-quoi-bon, du coup d'œil à la montre, me paraît infiniment plus plaisant que ces minutes (ces secondes?...) où l'on comprend que la mort va enfoncer la porte. (En-core une image excessive?) Toute comparaison est sans doute impossible. L'instant où l'on éteint la lampe, où l'on coupe le contact – et des images confuses et fulgurantes traversent parfois le noir, à la façon de deux ou trois ultimes soubresauts secouant un moteur – appartient à l'ordre des décisions, des habitudes. L'approche ordinaire de la mort – telle en tout cas qu'elle devrait être – détruit nos usages, nous brise. Lente descente, soumission à une irrésistible poussée. C'est la mort volontaire que l'endormissement pourrait évoquer, et pour que la comparaison fût acceptable il faudrait imaginer une égalité d'âme dont je ne sais pas si beaucoup de suicidés ont donné l'exemple au néant. Nous ne sommes pas des guerriers japonais : pas de témoin ni d'assistance pour nos tragédies ultimes. Misérable bouillie de somnifères, corde nouée à la poutre, fenêtre ouverte sur le vide, rasoir, baignoire : circonstances et instruments sordides, et personne n'est là pour contempler le visage d'un humain dans l'instant où il ose le défi qui les résume tous, où il accomplit le seul acte, peut-être, qui réponde aux questions traînées toute une vie, le seul qui égale l'homme aux créateurs qu'il a inventés.

Mais, là encore, quel rapport ? Quelle commune mesure entre le geste du pouce pour éteindre la lampe et la vertigineuse transgression d'une mort volontaire ? Il faudra décidément s'approcher du terme, quelque forme qu'il prenne, sans avoir apprivoisé le monstre tapi derrière la porte. Sans avoir peaufiné la comparaison. Sans *entraînement*.

LA DISTRACTION

Une seule fois – y ai-je veillé? – m'est venu à la plume le mot *distraction*. Encore s'agissait-il, je crois, d'une citation quasi involontaire de Malraux, laquelle, à force de m'être familière, s'est incorporée à mes tics de langage. Je la découvris peu après la Libération dans *Les Noyers de l'Altenburg*, dont l'édition lausannoise m'était arrivée entre les mains. «... Le sang versé était assez fort pour décomposer un instant l'état de distraction tout-puissant qui nous permet de vivre... » Le texte évoque le débarquement de Vincent Berger à Marseille, retour d'Orient. Une phrase lue ou entendue le poursuit : « Les choses les plus simples, les rues, les chiens... », qu'a prononcée un des « bandits en auto », les anarchistes dont les journaux d'alors étaient pleins. Après un attentat, avait-il dit à son procès, « tout est changé, les choses les plus simples, les rues, par exemple, les chiens... » Et Vincent Berger constate qu'il éprouve le même étonnement, après ses années d'absence, à retrouver l'Occident, Marseille, « le Vieux-Port, avec ses cannes, ses mannequins à moustaches, ses tangos et ses navires de guerre... ».

Ce que traque Malraux dans ces pages, parmi ses plus belles, c'est le choc, le passage fugace d'une parole, d'une image, la soudaine stridence intérieure capable de nous arracher à cette inattention en quoi, pour la plupart d'entre nous, se résout l'habitude d'exister. Les questions fondamentales sont des pierres au milieu du chemin, sur lesquelles nous butons. Une seule même pierre, une seule même chute : « Pourquoi ? »

Autre citation, tirée de *L'Espoir*, celle-là, et qui m'habite depuis plus de quarante années : « Shade avait cinquante ans. Revenu de pas mal de voyages (entre autres de la misère américaine, puis de la longue maladie, mortelle, d'une femme qu'il avait aimée) il n'attachait plus d'importance qu'à ce qu'il appelait idiotie ou animalité, c'est-à-dire à la vie fondamentale : douleur, amour, humiliation, innocence. »

Je n'ai cherché dans la rédaction et l'articulation des textes qui composent ce livre, par le sarcasme ou l'aveu, le grossissement ou la réduction, qu'à briser, à mon usage, la pellicule dont sont peu à peu recouverts les jours de notre vie, et qui bientôt devient croûte, gangue. De très élémentaires constatations, les étonnements et les révoltes les plus banals peuvent suffire à tirer de son engourdissement le rêveur éveillé. Encore doit-on les risquer. D'ordinaire, le respect humain, un certain air bravache, le sens mal compris des égards qu'on se doit à soi-même, imposent le silence à ceux que l'âge assiège. Il faut porter beau, croit-on, feindre d'ignorer ce que tout le monde peut voir, calculer, déplorer. Ainsi des politiciens hâlés à l'ultraviolet, ou des barons de cinéma qui vont se défriper la peau, avant les fêtes printanières de Cannes, sous les douches de la thalassothérapie. Nous ne réagissons pas autrement aux irréparables outrages. Nous cambrons le jarret, nous faisons étalage d'une vitalité époustouflante. Des chimères de réussite, de préséances, d'argent – ce que Montherlant appelait « guignoler selon le siècle » – nous épargnent de voir monter vers nous, comme la nuit tourbillonnante d'un typhon s'approche sur la mer, le cataclysme qui nous engloutira. Face à l'inutile et pitoyable comédie des crépuscules, j'ai tenté, le plus honnêtement possible – et non, je m'en rends compte, sans une naïveté qui fera rire de toutes leurs dents les jeunes brochets de la rivière –, d'énumérer les cocasseries, trébuchements, présages à quoi reconnaître l'imminence de *l'arrivée*. (Voilà un sens du mot qu'ont tort de négliger les fanatiques du flafla social...)

Hier, la foi connaissait les secrets de bien vieillir, lesquels introduisaient à ceux de « faire une belle mort » : chaque image, chaque précepte qu'elle offrait à ses fidèles les empêchaient de s'endormir dans la distraction. Un multiforme souviens-toi. Tu es poussière et tu retourneras à la poussière. Aucune parole ne m'a autant enfiévré que celle-là, que l'on pouvait entendre comme un encouragement aux excès ou comme une condamnation à la vertu et à l'ordre. Au choix de l'âme, au choix du sang, inséparables.

Puissé-je n'avoir rien écrit ici que de simple. La nuit blanche, l'aube questionneuse ne connaissent pas la subtile rhétorique. Aussi n'ai-je tenté que de me désarmer. J'ai pressé l'âge comme un citron ? Qu'on en boive le jus acide, qu'on le crache, qu'on l'avale, qu'on le sucre à volonté, qu'on l'*édulcore* : sucré ou non, doré ou non, refusé ou non, le goût ne s'en perdra plus.

Nommées, les infirmités deviennent inguérissables, mis en mots, les maux perdurent et mon texte, je le sais, ne peut qu'accélérer le dérapage qu'il décrit. Mais il ne s'agit ici ni de conjuration, ni de guérir, ni d'arrêter le temps : il s'agit de se tenir bien, fût-on prisonnier du noir de la cible. J'ai moins écrit sur l'âge que dedans; je m'y suis enfoncé, je m'y suis planté; je ne pourrais plus, le voudrais-je, lui échapper sur le premier songe qui passe. Dans l'air humide du matin de novembre, à Bratislava, comme je marchais vers le bord du Danube, mon interprète, riant dans la buée qui lui sortait de la bouche, m'interpella : : « Ça vous réveille, hein!... » Il ne croyait pas si bien dire et je ne me suis pas endormi. Patience, sentinelle! La guerre est perdue, mais il faut continuer de guetter l'ennemie.

Ménerbes-Caux, 1989

Table

Les belles gueules 9
Le point de fuite 10
Vieillir ou être vieux? 14
Il faut beaucoup de modestie 19
Au feu rouge 26
Bratislava I, confidence 29
Bratislava II, chronique 36
Bratislava III, roman 44
Peurs 70
Programmes et bilans 71
La guerre aux femmes 78
Mode d'emploi 85
La fugue et la coquille 88
Graffiti 95
Po 99
Sur l'âge 106
Au guichet 109
La seule ligne droite 112
L'homme rompu 117
La paix aux femmes 122
Mitteleuropa 125
Le cinéma permanent 129
Un chien à la chaîne 131
L'or de la Loire . . . . , . 137
Les gestes 140

Sur le retour 142
La tranchée 156
L'ancien 159
Les heures bleues 162
Goinfre 167
La soustraction 170
Retraite 173
Repu ? 177
Au bénéfice de l'âge 179
La volupté d'éteindre 182
La distraction 185

DU MÊME AUTEUR

Textes autobiographiques

UN PETIT BOURGEOIS, Grasset, 1963, Le Livre de Poche (2592)
et « Cahiers rouges », 1983.
LETTRE À MON CHIEN, Gallimard, 1975, et Folio (843).
LE MUSÉE DE L'HOMME, Grasset, 1978, et Le Livre de Poche (5368).
BRATISLAVA, Grasset, 1990.
AUTOS GRAPHIE, Albin Michel, 1990.

Romans

L'EAU GRISE, Plon, 1951, et Stock, 1986.
LES ORPHELINS D'AUTEUIL, Plon, 1956, et Presses Pocket (2754).
LE CORPS DE DIANE, Julliard, 1957, et Presses Pocket (2670).
BLEU COMME LA NUIT, Grasset, 1958, et Le Livre de Poche (5743).
UNE HISTOIRE FRANÇAISE, Guilde du Livre, 1965, Grasset, 1966
(Grand Prix du Roman de l'Académie française),
et Le Livre de Poche (5251).
LE MAÎTRE DE MAISON, Grasset, 1968 (Plume d'Or du Figaro littéraire)
et Le Livre de Poche (3576).
LA CRÈVE, Grasset, 1970 (Prix Femina) et Le Livre de Poche (3420).
ALLEMANDE, Grasset, 1973, et Le Livre de Poche (3983).
L'EMPIRE DES NUAGES, Grasset, 1981, et Le Livre de Poche (5686).
LA FÊTE DES PÈRES, Grasset, 1985, et Le Livre de Poche (6311).
EN AVANT, CALME ET DROIT, Grasset, 1987, et Le Livre de Poche (6664).

Libelles

LES CHIENS À FOUETTER, Julliard, 1957.
PORTRAIT D'UN INDIFFÉRENT, Fasquelle (« Libelles »), 1957,
et Grasset (« Diamant »).
LETTRE OUVERTE À JACQUES CHIRAC, Albin Michel, 1977.

Albums

HÉBRIDES, photographies de Paul Strand, Guilde du Livre, 1962.
VIVE LA FRANCE, photographies d'Henri Cartier-Bresson,
Robert Laffont, 1970.
DU BOIS DONT ON FAIT LES VOSGES,
photographies de Patrick et Christiane Weisbecker,
Le Chêne, 1976.
METZ LA FIDÈLE, photographies de Jean-Luc Tartarin,
Denoël/Serpenoise, 1982.
SUISSE PROFONDE, Slatkine, 1990.

En collaboration

AU MARBRE, chroniques retrouvées, 1952-1962,
avec Françoise Sagan et Guy Dupré, LA DÉSINVOLTURE, 1988.

IMPRIMÉ EN FRANCE PAR BRODARD ET TAUPIN
Usine de La Flèche (Sarthe).
LIBRAIRIE GÉNÉRALE FRANÇAISE - 6, rue Pierre-Sarrazin - 75006 Paris.

ISBN : 2 - 253 - 05866 - 1   ✦ 30/7358/2